La belle affaire

françois
de falkensteen

La belle
affaire

Le roman
de William H.

Libre Expression

Une société de Québecor Média

Catalogage avant publication de Bibliothèque et Archives nationales du Québec et Bibliothèque et Archives Canada

De Falkensteen, François
    La belle affaire : le roman de William H.
    ISBN 978-2-7648-0862-7
    I. Yamaska (Émission de télévision). II. Titre.

PS8607.E449B44 2013   C843'.6 C2013-941736-2
PS9607.E449B44 2013

Édition : Johanne Guay avec la collaboration d'Anne Boyer et de Michel d'Astous
Révision linguistique : Isabelle Lalonde
Correction d'épreuves : Isabelle Taleyssat
Couverture et mise en pages : Clémence Beaudoin
Photo de l'auteur : Sarah Scott

Cet ouvrage est une œuvre de fiction ; toute ressemblance avec des personnes ou des faits réels n'est que pure coïncidence.

Remerciements
Nous reconnaissons l'aide financière du gouvernement du Canada par l'entremise du Fonds du livre du Canada pour nos activités d'édition.
Nous remercions le Conseil des Arts du Canada et la Société de développement des entreprises culturelles du Québec (SODEC) du soutien accordé à notre programme de publication.
Gouvernement du Québec – Programme de crédit d'impôt pour l'édition de livres – gestion SODEC.

Les Éditions Libre Expression
Groupe Librex inc.
Une société de Québecor Média
La Tourelle
1055, boul. René-Lévesque Est
Bureau 300
Montréal (Québec) H2L 4S5
Tél. : 514 849-5259
Téléc. : 514 849-1388
www.edlibreexpression.com

Dépôt légal — Bibliothèque et Archives nationales du Québec et Bibliothèque et Archives Canada, 2013

ISBN : 978-2-7648-0862-7

Distribution au Canada
Messageries ADP
2315, rue de la Province
Longueuil (Québec) J4G 1G4
Tél. : 450 640-1234
Sans frais : 1 800 771-3022
www.messageries-adp.com

Diffusion hors Canada
Interforum
Immeuble Paryseine
3, allée de la Seine
F-94854 Ivry-sur-Seine Cedex
Tél. : 33 (0) 1 49 59 10 10
www.interforum.fr

Préface

On dit souvent qu'un premier roman est forcément autobiographique, quoi qu'on fasse pour l'éviter. Je n'échappe sûrement pas à la règle. Cette histoire est celle d'un homme à la croisée des chemins, qui n'a plus rien à prouver à personne, sauf à lui-même, le plus impitoyable des juges. Ses peurs sont ses faiblesses et ses plus grands défis, mais l'amour est sa force et son seul véritable acquis.

J'ai donné à mon héros la plus belle femme du monde, pour l'aimer, et un père format géant, pour le confronter. Je lui ai même façonné un meilleur ami dans lequel se fondent mes deux meilleurs amis à moi. Surtout, j'ai creusé au beau milieu de sa vie le trou béant d'un drame affreux, qui lui a fauché à lui aussi un fils dans la force de l'âge. Je n'essaierai donc pas de dire qu'il ne s'agit pas de moi.

Bref, je suis peut-être ce héros, mais son histoire n'est pas la mienne et ma famille n'est pas la sienne. Tout autour de lui a été transposé, mes personnages ne sont que de lointaines évocations, que j'ai triturées, déformées. Je n'ai pris des gens réels que des fragments et je les ai remodelés, réagencés.

C'est toutefois la perte d'un fils qui est, je crois, l'inspiration première de cette histoire. Peut-être pour tenter de lui donner un sens. Malgré tous mes efforts pour protéger ma famille, mon fils Lambert est mort. Bien sûr, il s'agissait d'une fatalité que je n'aurais pas pu empêcher, un accident bête, comme on dit, mais j'ai quand même failli. Jamais je ne me suis senti aussi écrasé sous le poids de la paternité que le jour de sa mort.

Quand on se laisse happer tout entier par le vide du deuil, que reste-t-il pour les autres ? Qu'ai-je pu donner à mes fils et à ma fille quand je me repliais sur mon mal ? Assez peu sûrement. Ce sont eux, en fait, qui m'ont donné d'eux-mêmes, et c'est leur amour qui m'a sauvé.

Je me suis donc replongé dans cet épisode douloureux de ma vie avec l'espoir d'y trouver la paix. J'ai appris alors que l'écriture est un voyage vers une destination incertaine. On sait d'où l'on part, mais on ignore souvent où l'on arrivera. À ma grande surprise, mon regard d'écrivain s'est orienté non pas sur le père que je suis devenu, mais sur le fils que j'ai été et sur ma relation avec mon propre père.

Ai-je été à la hauteur de ses attentes ? Suis-je devenu le fils souhaité ? J'en doute. Plus d'une fois j'ai perçu la déception dans son regard. Il est de ces blessures que seul un père peut infliger. Ai-je voulu, par ma démarche, trouver une façon de lui pardonner afin de pouvoir moi-même me pardonner les lacunes et les faiblesses qui ont blessé les miens ?

Quoi qu'il en soit, j'ai pris le parti de transposer ma vie dans un monde inventé, entre une mère effacée et un père incapable d'aimer vraiment ; tout le contraire de ma réalité. Que découvre-t-on sur soi-même quand on se débarrasse de ses vieilles histoires et qu'on arrache les masques ?

Je sais maintenant que nos secrets les moins glorieux, ceux qu'on a voulu oublier, finissent quand même par nous rattraper.

William H.

1

Calé dans sa chaise de bureau, des feuilles dans une main et un crayon dans l'autre, Pierre Desgroseillers donnait vraiment l'impression de travailler. Avant de mourir d'ennui, son esprit s'était envolé par la fenêtre et voltigeait au-dessus des toits du Vieux-Montréal. Pierre connaissait chaque détail de la mosaïque comprise entre la colonne de la place Jacques-Cartier, d'un côté, et la tour de l'Horloge, de l'autre.

Fonctionnaire au Service de la promotion des ressources de la Ville de Montréal (SPRVM), il terminait la relecture du document de planification triennale des programmes sectoriels sur lequel il planchait depuis quelques jours. L'après-midi même, il allait présenter le fruit de son travail au comité des élus chargés du dossier.

Pour Pierre, tout cela n'était que routine. En poste depuis près de dix ans, il avait produit et présenté des dizaines de documents de planification, de rapports et d'études. Des milliers de pages destinées à des centaines de fonctionnaires et d'élus municipaux qui, pour la majorité, ne les avaient pas lues. Pierre ne se faisait aucune illusion. Lui qui aurait sans doute pu être le patron de son patron avait choisi de limiter la place que prenait le travail dans sa vie, tout en s'assurant un revenu décent et une retraite confortable.

En prévision de sa réunion de l'après-midi, il avait enfilé l'uniforme du parfait col blanc : chemise bleue, pantalon gris, veston marine et souliers noisette. Sa seule fantaisie vestimentaire était de ne pas porter de cravate rayée. Grand et plutôt carré d'épaules, il semblait à l'étroit dans ce costume impersonnel, lui qui arborait pourtant une belle tête grise aux traits virils et au regard engageant.

Pierre fut brusquement tiré de sa rêverie par la réceptionniste, qui se pointa avec l'air un peu catastrophé dans le cadre de sa porte.

— Pierre ? Mme Aube Desbiens est ici pour toi.

— Aube Desbiens ? La journaliste de *La Une* ?

— Elle-même, confirma-t-elle gravement.

Il fit mentalement l'inventaire des dossiers dont il était responsable et ne vit rien qui soit digne d'intérêt pour une journaliste.

Il se rendit à la réception d'un pas assuré. En poussant la porte, il la vit, debout, en tailleur noir et chemisier blanc. Il la reconnaissait pour l'avoir vue quelques fois à la télé ou en photo, dans son journal. En personne, ses cheveux étaient plus blonds et ses yeux tellement plus bleus. En s'approchant, la main tendue, il huma son parfum délicat.

— Bonjour, Pierre Desgroseillers. Qu'est-ce que je peux faire pour vous ?

— Bonjour. On a rendez-vous, non ? demanda Aube, l'air soudainement inquiet. Votre père ne vous a pas prévenu ?

— De quoi ?

— De ma visite… Je fais un reportage sur votre père… Sur son admission au Panthéon de la renommée… Vous êtes au courant ?

— Oui, oui.

— Je fais un reportage pour *La Une*. J'ai parlé à votre père, qui voulait absolument que je vous rencontre. On a même convenu d'un rendez-vous, ce matin à 10 h 30. Il devait vous prévenir et m'aviser en cas d'empêchement. Comme je n'ai pas eu de nouvelles, j'ai conclu que le rendez-vous aurait lieu comme convenu.

— Je n'étais pas au courant.

— Il a peut-être oublié. J'espère que ça ne vous pose pas de problème?

La situation parut aussitôt suspecte aux yeux de Pierre. Son père n'oubliait pas ce genre de détails. Il s'agissait plutôt d'un geste délibéré, d'une manœuvre bien calculée de sa part pour le mettre devant le fait accompli et le forcer à accorder cette entrevue. Ça sentait la manipulation à plein nez.

— J'aurais aimé le savoir avant, dit simplement Pierre. Donnez-moi deux minutes, je vais l'appeler.

À ces paroles, Aube fronça les sourcils, très contrariée.

Il la pria d'attendre à la réception et revint à son bureau pour appeler son père. Après de nombreuses sonneries, Richard répondit.

— Pierre? C'est pas vrai! s'exclama-t-il, comme frappé par un violent retour de mémoire. J'ai oublié de t'appeler! La journaliste est là?

— Ouais.

— Je suis désolé! Ça m'est complètement sorti de la tête. T'es fâché? T'as raison. Je m'en veux tellement...

— P'pa, je n'ai pas le temps de rencontrer ta journaliste, affirma Pierre. J'ai une présentation cet après-midi. Il faut que je me prépare. En plus, il me semble que j'ai été clair à propos des entrevues aux journalistes.

— Oui, mais là, c'est pour le Panthéon de la renommée, protesta Richard. Tu pourrais faire une exception.

Le samedi suivant, le Panthéon de la renommée tenait son grand banquet annuel. Lors de cette soirée, une personnalité, une seule, était admise au Panthéon en reconnaissance de son apport exceptionnel à la société québécoise ou canadienne. Cette année, l'honneur était réservé à Richard Desgroseillers. Comme chaque fois, le journal *La Une* publiait un reportage sur cette personnalité et, pour une cinquième année de suite, l'éditeur insista pour que le dossier soit confié à Aube, qui travaillait vite, bien et encore mieux sous pression.

— En plus, tu as la chance de rencontrer Aube Desbiens, profites-en! ajouta Richard, convaincu de son argument. Amène-la manger, suggéra-t-il, tout enjoué. Au *Toqué!* C'est moi qui paye! Je peux même te réserver une table, je connais Laprise.

— Je ne peux pas, répéta Pierre sèchement. Il aurait fallu que tu m'en parles avant.

— D'accord, d'accord. C'est ma faute. Je n'insiste pas... Dis-lui que je suis désolé du malentendu.

— Non! Non, non. Ce n'est pas à moi de faire ça. Parle-lui toi-même.

— Excuse-moi... La ligne est mauvaise. Je n'ai pas compris... Pierre?

— P'pa! Fais-moi pas ce coup-là!

— Pierre? Je te perds...

Pierre pesta et recomposa le numéro, mais tomba tout de suite sur la boîte vocale. Il raccrocha et revint à la réception, bien déterminé à ne pas se laisser piéger.

Aube, debout devant la fenêtre, les bras croisés et le front plissé, ruminait des idées noires. Elle s'était pliée à la demande de ses patrons, mais sans enthousiasme. Depuis le début de la semaine, elle fouillait consciencieusement la vie de cet ingénieur, homme d'affaires et grand philanthrope qu'était Richard, mais l'exercice l'ennuyait au plus haut point. Déjà, elle perdait son temps et gaspillait son énergie à réaliser ce genre de reportage complaisant, estimait-elle, il n'était pas question en plus de s'être déplacée pour rien.

— Alors voilà, expliqua Pierre. Mon père a oublié de m'appeler. C'est dommage, car je n'ai pas le temps de vous rencontrer. Je prépare une importante réunion qui aura lieu cet après-midi. Désolé.

— Vous n'êtes pas sérieux ? s'exclama Aube, dépitée. J'ai été prise dans un bouchon en venant ici et j'ai eu un mal fou à me stationner. Tout ça pour rien ? Vous ne pouvez même pas m'accorder une petite demi-heure ?

Pierre sentait fondre sa détermination. Il n'était pas question de tomber dans le piège de son père, mais comment refuser de rencontrer Aube Desbiens sans lui mentir effrontément ou passer pour un salaud ? Tout à coup, ses réticences lui parurent ridicules et enfantines. Il devait agir en adulte, ce qui ne l'empêchait pas de pester contre son père, qui parvenait toujours à ses fins. À quarante-cinq ans, Pierre allait encore une fois devoir sourire de ses belles dents et dire plein de gentillesses à propos de son très cher père.

— Bon, d'accord. Une petite demi-heure, concéda-t-il.

Voyant le visage d'Aube s'éclairer, il sourit aussi pour de vrai.

*

Pour Aube, la spécialiste « people » à *La Une*, écrire un portrait de personnalité publique ne représentait aucun défi. Pour son reportage, elle devait produire trois articles sur Richard Desgroseillers qui devaient paraître dans le journal du samedi, jour du banquet du Panthéon. Le premier article porterait sur ses réalisations d'ingénieur et d'homme d'affaires, le deuxième relaterait ses activités de philanthropie et le troisième regrouperait des témoignages de gens l'ayant bien connu. Aube devait également écrire les légendes accompagnant la dizaine de photos illustrant les articles. Tout cela devait être livré le vendredi suivant, à 17 heures au plus tard.

Richard Desgroseillers lui avait d'abord accordé une longue entrevue où il avait parlé de son enfance à Laval, de ses études d'ingénieur et de ses premiers succès professionnels. En 1972, il avait fondé la firme DLL avec deux collègues finissants de Polytechnique comme lui. Ces trois cracks du génie mécanique avaient rapidement fait leur marque dans le secteur en plein développement de la conception de robots industriels. Les succès commerciaux de l'entreprise avaient régulièrement fait les manchettes de la presse spécialisée et avaient assuré la fortune de Richard.

Aube avait également reçu des boîtes d'archives remplies d'articles, de lettres et de photos retraçant la vie de l'homme et ses nombreuses activités philanthropiques. Depuis le début de sa carrière, Richard avait appuyé de nombreuses causes, allant des jeunes en difficulté aux personnes âgées, en passant par les victimes de la sclérose en plaques ou de la fibrose kystique.

En fouillant, Aube avait trouvé au fond d'une boîte un dossier d'une autre nature et titré « David ».

En lisant le titre, Aube s'était aussitôt souvenue du drame qui avait marqué la famille. En 2006, David Desgroseillers-Stuart, quinze ans, petit-fils de Richard et fils cadet de Pierre et d'Emily Stuart, était mort tragiquement dans un accident de ski nautique, frappé de plein fouet par un yacht dont le pilote était ivre mort.

Elle avait revu la première page d'un journal de l'époque coiffée du titre « Richard Desgroseillers frappé par le malheur ». À cause du procès qui avait suivi, l'événement avait retenu l'attention du public pendant des semaines. Richard avait affiché un tel courage, une telle dignité tout au long de cette épreuve que le public avait été profondément touché et avait redoublé de sympathie pour lui. Ce sont ces circonstances douloureuses qui firent passer Richard d'un statut de « personnalité sympathique » à celui de « chouchou du public ».

Quelques années plus tard, quand il avait annoncé publiquement être atteint d'un cancer de la prostate, il avait reçu spontanément l'appui populaire, d'autant qu'il était sorti victorieux de son combat. Aube avait trouvé quantité de lettres et de cartes d'encouragement et de félicitations témoignant du statut privilégié que lui réservaient ses admirateurs.

En plus de ces lectures, Aube avait réalisé des entrevues avec les amis, les anciens associés et les collègues philanthropes de Richard. Chacun parlait des qualités du grand homme avec le même enthousiasme. Sans trop comprendre pourquoi, cette belle unanimité l'agaçait. Pour cette raison, peut-être, elle avait réservé Pierre pour la fin, espérant obtenir quelque chose d'un peu plus original de la part du fils Desgroseillers.

En préparant cette rencontre, une question l'avait d'ailleurs turlupinée : pour quelle raison le fils unique d'un des hommes d'affaires les plus prospères au pays n'occupait-il qu'un emploi de simple fonctionnaire à la Ville de Montréal ? Il y avait de quoi s'étonner, quand même.

*

Dès l'enfance, le petit Pierre s'était fait interviewer au sujet de son père par des journalistes souhaitant recueillir des commentaires cocasses ou un mot d'enfant attendrissant. À cette époque, Pierre portait un regard émerveillé sur son papa et n'avait de cesse de vouloir lui plaire. À quarante-cinq ans, toutefois, il voyait les choses autrement.

Pour Pierre, son père s'était taillé une réputation de grand philanthrope en choisissant d'abord des causes largement médiatisées. Au fil du temps, il s'était drapé d'une aura de bon samaritain préoccupé par le sort des faibles et des démunis. Mais Pierre savait, lui, que rien n'était plus important aux yeux de Richard Desgroseillers que Richard

Desgroseillers lui-même et ce que les autres pensaient de lui. Richard ne ratait aucune occasion pour se mettre en valeur et soigner son image, mais Pierre n'y voyait que de l'esbroufe et de la poudre aux yeux.

Sortant de ses pensées acerbes, il dut se secouer mentalement et s'efforcer de revenir à de meilleures dispositions. Il n'allait pas se mettre à déblatérer contre son père maintenant.

Par souci d'économie d'énergie, il allait jouer le jeu et boucler l'entrevue le plus rapidement possible. En toute autre circonstance, il aurait été enchanté de prendre tout le temps nécessaire pour faire la connaissance d'Aube Desbiens. Mais pour l'instant, il se sentait pris dans un piège dont elle était l'instrument et la rencontre perdait de son charme.

Il avisa Monique, la réceptionniste, de prendre ses messages. « Sauf si c'est Charles Lemay. J'attends son appel d'ici une demi-heure. Il veut me voir. » Monique connaissait le code. Dans une demi-heure, elle devait annoncer l'appel de M. Charles Lemay, un nom fictif, mais toujours le même, et Pierre aurait ainsi un prétexte pour mettre fin à la rencontre.

Le bureau de Pierre était sobrement décoré dans des tons de beige et de brun choisis par une agence spécialisée. Aube en fit le tour du regard. Tout était également tiède, sauf deux appuis-livres en acier, visiblement le travail d'un artiste qui reprenait habilement des motifs Art déco.

— C'est votre création ? demanda Aube.

Pierre hésita avant de répondre.

— Oui, admit-il. Qu'est-ce qui vous a fait deviner ?

— J'ai lu quelque part que vous étiez sculpteur.

— Ma foi ! Vous avez fouillé ma vie, s'étonna-t-il.

— Pas du tout, j'ai simplement « googlé » votre nom et je suis tombée sur une liste de participants à un atelier de Philippe-Étienne Brasier. Vous faites toujours de la sculpture ?

— Moins qu'au début, mais j'ai encore un petit atelier.

— C'est joli, ces appuis-livres. J'aimerais bien voir le reste.

Pierre fit comme s'il n'avait pas entendu la dernière remarque, et Aube interpréta son silence comme un message de s'en tenir à l'essentiel.

Une fois qu'ils furent installés, Aube put mieux observer son hôte. Plutôt grand, il était bel homme et sa chevelure grisonnante, touffue et rebelle, ajoutait beaucoup de *sex-appeal* à son look. Depuis le début, toutefois, il se montrait froid et sans charme. Il avait beau être plutôt large d'épaules, elle voyait en lui un petit monsieur confiné dans un local étroit, avec une seule minuscule fenêtre pour voir dehors. Il ne manquait que les barreaux.

Elle dut faire un effort de concentration pour revenir à ses oignons et enfin commencer l'entrevue.

— Alors voilà. Ma première question sera très générale : À quoi ça ressemble être le fils unique de Richard Desgroseillers ?

— C'est une grande chance, répondit Pierre avec enthousiasme. Mon père est un homme dévoué, un exemple pour tout le monde, et j'ai été le premier à en profiter. Il s'est donné corps et âme pour le mieux-être de sa communauté. C'est un homme formidable...

Une fois parti, Pierre était bien résolu à ne pas s'interrompre. Il parlait sans cesse et n'attendait pas les questions pour enchaîner les propos : l'apport inestimable de son père aux nombreuses causes, sa brillante carrière d'ingénieur, ses nombreuses réalisations, les reconnaissances officielles... Grand citoyen... Homme d'affaires de l'année...

Consternée, Aube l'écoutait défiler sa cassette de banalités, comme un perroquet sans cervelle.

— Revenons à votre enfance, insista-t-elle. Très tôt, votre père a mené une carrière prolifique tout en s'impliquant dans une multitude de causes. Il ne devait pas être à la maison très souvent.

— Pas très souvent, c'est vrai, mais il compensait ses absences par du temps de qualité. Dès qu'il le pouvait, il s'occupait de moi. C'était un homme exigeant, parce qu'il exigeait beaucoup de lui-même…

Et Pierre repartit dans un autre chapelet de lieux communs et de phrases creuses qui ennuyaient Aube au plus haut point.

— À entendre tout le monde parler de votre père, j'ai vraiment l'impression d'écrire un reportage sur Jésus, ironisa Aube. Vous, son fils, qu'en pensez-vous?

— Mon père, comme beaucoup de grands hommes, a les défauts de ses qualités. Par exemple : il est très généreux de sa personne, mais il finit souvent par s'oublier lui-même.

— Et par oublier sa famille?

— C'est arrivé, mais j'ai fait la paix avec ce passé, surtout quand je constate l'ampleur de son œuvre.

— Mais c'est bien connu, tous les sauveurs font des victimes autour d'eux. Le plus souvent, il s'agit de leurs propres enfants. Êtes-vous de ceux-là?

— Pas du tout… Au contraire… J'ai beaucoup profité de l'expérience…

Ça devenait flagrant qu'Aube n'obtiendrait pas ce qu'elle espérait de Pierre. En l'écoutant, elle s'était mise à détester souverainement son attitude conciliante et son maudit petit sourire insignifiant alors que, de toute évidence, il souhaitait se débarrasser d'elle au plus vite. Peu de choses la dérangeaient autant. Cette comédie faisait surgir en elle des émotions difficiles à refouler.

— Est-ce que je peux vous poser une question personnelle? enchaîna-t-elle, tout sourire, mais bien résolue à le déstabiliser.

— Bien sûr, répondit Pierre, les dents serrées.

— Vous êtes le fils unique d'un des hommes d'affaires les plus prospères au pays. Vu de l'extérieur, n'est-ce pas un peu étonnant de vous retrouver… fonctionnaire à la Ville de Montréal ?

Elle se retint juste à temps de dire « petit fonctionnaire », mais ne put camoufler une pointe de dédain dans sa voix.

— Vous dites ça comme si je devais en avoir honte, rétorqua Pierre, piqué au vif. J'ai fait mes choix et je ne me sens pas dans l'obligation de les défendre…

— Je ne vous attaque pas. Je me demande seulement comment votre père a réagi devant vos choix de vie.

— Faudrait lui demander à lui.

— Avez-vous l'impression qu'il est fier de vous ?

— Faites-vous un reportage sur mon père ou sur mes choix de vie ? demanda Pierre, agacé au plus haut point. Vous voulez savoir si mon père est fier de moi ? Probablement pas. Mais je m'en fous. Vous voulez savoir si on a une bonne relation ? Eh bien non ! Maintenant, si vous me demandez pourquoi, je vais croire que vous êtes vraiment effrontée ou extrêmement indiscrète.

Aube ne sut quoi répondre. Elle s'était laissé prendre par ses émotions et comprenait tout à coup qu'elle avait frappé trop fort. Elle voulut réparer sa gaffe, mais à ce moment précis, Monique frappa à la porte.

— Pierre, Charles Lemay sur la trois.

— Dis-lui que je monte le voir dans un instant, répondit-il sans hésiter.

Le visage fermé, mais arborant son même sourire forcé, il se tourna vers Aube.

— Désolé de vous brusquer. C'est vraiment tout le temps que je peux vous accorder.

— D'accord, pas de problème, marmonna Aube, rouge de honte et de colère.

En ramassant ses affaires, elle se criait déjà des noms pour avoir été si maladroite. Puis, en lui serrant la main,

Aube fut surprise de constater que la main de Pierre était rude et calleuse.

*

Pierre comptait passer la soirée à l'atelier, généralement vide le vendredi soir. Il louait en effet un minuscule espace de trois mètres sur trois dans cette ancienne usine du quartier Parc-Extension, que se partageaient une demi-douzaine d'artistes sculpteurs. Vêtu d'un bleu de travail et caché derrière son masque de soudeur, plus rien alors n'avait autant d'importance que les bouts de tôle et de métal qu'il s'amusait à assembler avec son chalumeau.

Après la mort de son fils David, Pierre avait consulté un psychologue, qui l'avait incité à se trouver une activité dans laquelle s'investir, un passe-temps, physique ou intellectuel, pour se vider la tête. Sans grands espoirs, Pierre s'était inscrit à un atelier de sculpture pour débutants. Il s'était dit que travailler la matière, créer des formes, c'était à des années-lumière de son travail à la Ville. Il s'était rapidement passionné pour cette activité. Voir la flamme surgir et le métal fusionner dans des gerbes d'étincelles captait toute son attention et le soustrayait au temps et à l'espace.

Mais ce soir, il n'était pas là pour ça. Les responsables du Panthéon de la renommée avaient insisté pour que le fils et le petit-fils de Richard prennent la parole lors de l'hommage. Pierre cherchait donc des idées pour dire du bien de son père, mais rien ne lui venait. Depuis trois semaines, il repoussait le moment de se mettre à la tâche et l'incident de la journaliste, quelques jours plus tôt, l'avait même refroidi. Mais ce soir, il n'avait plus le choix. Dans vingt-quatre heures, il devrait livrer un discours devant quelques centaines de personnes.

Assis à la table dans le coin café de l'atelier, en pleine quête d'inspiration, il sursauta en entendant son téléphone sonner. Voyant s'afficher le nom de son père, il ne prit pas l'appel.

*

Installée au bar, Aube attendait patiemment son amie Jovette Pollack, en retard, comme d'habitude. Elle et sa collègue du cahier Culture, ainsi qu'une bonne partie de la salle de rédaction de *La Une*, avaient l'habitude de se retrouver le vendredi, pour « le 5 à 7 de la libération ».

Elle avait déposé la version finale de ses articles bien avant l'heure de tombée. Le rédacteur en chef était très satisfait et l'éditeur aussi. Elle ? Pas tellement. En fait, elle ne parvenait pas à qualifier son travail de « journalistique ». Le journal voulait publier un portrait avantageux de Richard Desgroseillers et elle avait pondu un portrait avantageux.

Toutefois, elle regrettait la façon dont s'était déroulée sa rencontre avec Pierre. Il s'était senti jugé, à raison. Qu'avait-elle de si grandiose pour se permettre de prendre Pierre Desgroseillers d'aussi haut ? De quel droit avait-elle exigé qu'il s'ouvre à elle ? Non, vraiment, elle méritait un zéro.

Dans son intarissable bla-bla intérieur, où elle s'acharnait à se diminuer sans cesse, le mot qui revenait le plus souvent ce soir était « scribouilleuse ». C'est ainsi qu'elle se sentait. Elle était devenue une scribouilleuse parce qu'elle pouvait produire vite et bien des textes sans fautes d'orthographe et qui disaient exactement ce que ses patrons voulaient lire. Une scribouilleuse. Si elle s'était un jour imaginé faire du journalisme, chercher la vérité et la révéler au monde, c'était raté. Pourtant, elle y avait cru et s'était vue, dans ses rêves les plus fous, sortir des *scoops* de sa manche, comme une magicienne, incorruptible et toujours à l'affût. Elle y avait cru et avait tout misé sur sa carrière. Même son bonheur.

À trente-sept ans, la poursuite de ses rêves lui apparaissait de plus en plus comme une fuite en avant et sa chère liberté ressemblait plutôt à une grande solitude.

Ce n'est que vers 18 heures qu'Aube aperçut Jovette entrer dans le bar et, avant toute chose, commander son dry martini habituel.

— Ostie de Bouchard à marde ! Il m'a fait chier, t'as pas idée, se plaignit Jovette en guise d'excuse pour expliquer son retard.

— Je ne veux pas prendre pour lui, mais comment ça se fait que t'es toujours en retard ? Je le comprends de s'énerver.

— Toi, la parfaite, comment ça se fait que t'es toujours en avance ? C'est pas énervant ça, tu penses ?

Jovette retrouva instantanément sa bonne humeur quand le barman déposa son *drink* en face d'elle. « À la mienne ! » trinqua-t-elle en levant son verre.

Aube et Jovette se joignirent à un petit groupe de collègues au bar qui parlaient fort. Elles se mêlèrent aux conversations décousues, aux rires et aux joutes oratoires de blagues, de niaiseries et de calembours douteux. Aube força un peu sur l'apéro et, pour la première fois depuis des jours, elle se sentait légère. C'est fou ce qu'un gin tonic bien tassé peut accomplir comme miracle.

Elle promena distraitement son regard sur les clients du bar. Comme d'habitude, elle surprit quatre ou cinq paires d'yeux d'hommes qui la reluquaient. Normal : une jolie femme comme elle, un peu « chaudasse », devenait vite objet de convoitise pour les mâles autour. Elle n'avait que l'embarras du choix et, ce soir, elle avait particulièrement besoin d'être câlinée. Bien sûr, elle risquait d'être déçue. Les câlins dont elle rêvait n'existaient pas en formule express d'un soir, mais elle était prête à prendre les caresses, même sans la tendresse.

Elle allait rendre son sourire à un jeune bellâtre qui lui faisait les yeux doux au bout du comptoir quand elle aperçut furtivement la tête de Jérôme, assis à une table au fond du bar. En le reconnaissant, Aube tressaillit. Un boulet tiré à bout portant la frappa violemment au plexus. Elle le revoyait pour la première fois depuis leur rupture, huit mois plus tôt.

Jovette vit sa copine changer d'air et crouler un peu sous la douleur. Elle chercha du regard ce qui avait bien pu la saisir ainsi et elle reconnut tout de suite Jérôme, au centre d'un groupe d'amis.

— Hé ! Ho ! dit Jovette en claquant des doigts. C'est toi qui l'as laissé ! Assume ! Il n'a pas l'air malheureux. T'as pas à te sentir coupable. Il se porte bien.

En effet, Aube revoyait Jérôme tel qu'elle l'avait connu pendant les plus beaux jours de leur relation, rieur et charmant. Pour ce qu'elle pouvait en juger, la fille au regard amoureux juste à sa droite était probablement sa nouvelle blonde. Ils avaient l'air heureux. Quelle ironie quand même de croiser Jérôme le jour même où elle doutait de tout et d'elle-même ! Elle l'avait laissé par peur de s'attacher et voilà que c'était lui qui avait l'air libre.

— Je n'ai pas envie de le rencontrer, trancha Aube, pas aujourd'hui.

Après un moment, voyant qu'Aube n'avait plus de plaisir à se trouver là, Jovette décréta : « Je suis tannée d'être ici. On s'en va. » Elle se leva, se tourna vers son amie et lui fit signe de venir. Aube la suivit, accrochée à son bras et se servant d'elle pour se cacher.

*

Richard s'était enfermé dans son bureau. Les murs couverts de bibliothèques bien remplies étouffaient les bruits de l'extérieur. Il avait la paix, là, pour réfléchir. Lui aussi devait travailler son discours, mais, trop fébrile, il n'arrivait pas à se concentrer.

Il était assis dans sa grosse chaise capitonnée, derrière son imposant bureau en chêne, le menton dans la main droite. Il attendait tellement de cette soirée. C'était, en quelque sorte, un couronnement. Tout devait être parfait.

Quatre personnes allaient prendre la parole le lendemain soir pour lui rendre hommage. D'abord Paul St-Jean, juge à la retraite et ami d'enfance de Richard, puis Mme Rose Daveluy, présidente de la Fédération des associations québécoises d'entraide (la FAQuE), qui connaissait Richard depuis le tout début de son action sociale, et finalement, son petit-fils, Jason, et son fils, Pierre.

Selon Richard, un bon *speech*, ça doit être drôle ou touchant, idéalement les deux. Son ami Paul St-Jean allait sûrement bien s'en tirer et il n'avait aucun doute que Jason serait parfait. Il doutait des talents d'oratrice de Mme Daveluy, qui prenait la parole pour des raisons essentiellement politiques.

Il s'inquiétait aussi de Pierre, à qui il n'avait pas reparlé depuis l'incident avec la journaliste. Il se sentait encore coupable de lui avoir fait le coup, mais il n'avait pas eu le choix. S'il lui avait simplement demandé d'accorder cette entrevue, Pierre aurait refusé, il le savait déjà. La stratégie du « fait accompli » manquait peut-être de respect, mais elle était efficace. Malgré ses protestations, Pierre avait accordé l'entrevue.

Depuis, il craignait de le rappeler, mais, à la veille de sa grande soirée, il n'y tenait plus et devait savoir. Malheureusement pour lui, Pierre ne répondit pas, alors, la voix chantante, il lui laissa le message de le rappeler le plus tôt possible.

Richard composa ensuite le numéro de son ami Paul St-Jean. L'esprit formé par vingt-cinq ans de magistrature, le vieux juge avait écrit une allocution beaucoup trop empesée au goût de Richard. Il lui suggéra plutôt de raconter des anecdotes drôles de leur enfance et de leur jeunesse, celle de la roue cachée, par exemple, ou encore celle du quatorzième trou. Ils rirent ensemble en se remémorant ces souvenirs lointains.

Richard parla ensuite à Mme Daveluy, qui expliqua, tout excitée, qu'elle avait eu l'idée de raconter l'anecdote des *Insolences d'un téléphone*. En 1986, Tex Lecor s'était fait passer pour le président d'un petit organisme de bienfaisance, la Roue de secours, qui venait soi-disant en aide aux gens « crevés », « à plat », « qui avaient besoin d'air »… Il demandait à Richard d'accepter la présidence de sa campagne de financement, qui ne « roulait » pas, et il disait avoir besoin d'un bon « Jack » comme lui pour « regonfler » son équipe. L'anecdote était savoureuse et mettait en valeur la générosité proverbiale de Richard. L'idée était bonne et Richard se rassura sur le compte de Mme Daveluy.

Refaisant le numéro de Pierre, il tomba une fois de plus sur sa boîte vocale. « Salut, c'est ton père, dit-il d'une voix plus pressante. J'aimerais vraiment que tu me rappelles ce soir. Je veux d'abord m'excuser pour l'autre fois. Je te jure que je ne voulais pas que ça se passe comme ça. Je voulais aussi avoir des nouvelles de ton *speech*. N'hésite pas si tu as besoin de mon aide. Rappelle-moi. Salut. »

Richard n'attendait rien de cette perche tendue. Il composa donc le numéro de son petit-fils, Jason. Vérifiant l'heure à sa montre, il estima que celui-ci était sans doute dans l'autobus qui le ramenait de Kingston.

— Salut, grand-p'pa, dit Jason.

— Salut, mon grand. Comment tu vas ? As-tu fini d'écrire toutes les belles fleurs que tu vas me lancer demain ?

— Inquiète-toi pas pour ça.

— Je ne suis pas inquiet. Je suis sûr que tu vas être bon. T'es comme moi, t'as un talent naturel pour les discours. Non, moi, c'est ton père qui m'inquiète. Tu n'as pas eu de ses nouvelles, par hasard ? J'ai beau l'appeler, il ne répond pas.

— Qu'est-ce qui s'est passé ?

— Rien… Des niaiseries… Tu sais comment est ton père. Il fait des drames avec pas grand-chose. J'aimerais quand même que tu ailles le voir ce soir. Je suis certain que ça lui ferait plaisir.

— Ah ! Grand-p'pa !

— Fais-le pour moi. T'es pas obligé de coucher là. Passe le voir quelques minutes. Offre-lui de répéter son *speech* devant toi. Tu me rappelleras après.

— Ah, c'est ça ! Tu veux savoir ce qu'il va dire de toi.

— Ben non. Va juste le voir, c'est tout ce que je te demande, et rappelle-moi.

Après cette petite ronde téléphonique, Richard avait l'impression d'avoir un meilleur contrôle de la situation. Seul Pierre lui échappait encore, mais il était convaincu que Jason allait l'informer. Ainsi calmé, il put se concentrer plus facilement sur son propre discours de remerciement.

Richard adorait prendre la parole en public. Il avait ce qu'on appelle un talent naturel, bien étudié et parfaitement maîtrisé. Au début de sa carrière, il écrivait ses textes et s'y tenait, puis il s'était permis d'en sortir parfois, pour se rendre compte que c'est en improvisant qu'il donnait sa pleine mesure. Il en était donc venu avec le temps à ne s'écrire que quelques notes sur un bout de papier. Au meilleur de sa forme, et sur un sujet qu'il possédait, il parvenait facilement à improviser pendant une demi-heure, une heure et même plus, sans temps mort ni redites.

Se voyant déjà sur scène devant l'auditoire prestigieux des membres du Panthéon de la renommée captivés par ses propos, il fut distrait par la sonnerie de son téléphone. Richard ne reconnut pas le numéro à l'afficheur, mais, pensant que ça pouvait être Pierre qui l'appelait d'une cabine téléphonique, il répondit.

— Bonsoir, Richard, Yves Fradette à l'appareil, je ne te dérange pas, j'espère ?

En reconnaissant son interlocuteur, Richard devint nerveux et sembla perdre un peu ses moyens.

— Bonsoir, Yves, dit-il avec un trémolo à peine perceptible dans la voix. Tu ne me déranges pas, mais je ne pourrai pas te parler longtemps, j'attends un appel.

— Ce ne sera pas long. Je voulais simplement te dire que nos efforts portent fruit encore ce mois-ci. Nos amis nous envoient de nouveaux clients : cinq vieux couples et deux veuves.

— C'est beaucoup, s'étonna Richard.

— Ouais. La séance photo aura lieu le 17 mai, à 13 h 30. Peux-tu te libérer ?

— Pas de problème, je serai là, assura Richard, sans enthousiasme.

— Parfait ! Jimmy s'occupe de tout. Il va t'attendre au studio sur l'avenue du Parc.

Le souffle court, Richard raccrocha. Incapable de ramener son esprit sur les thèmes de son discours, il abandonna son crayon et se leva. Tendu, il fit quelques pas dans son bureau quand il sentit poindre dans son épaule gauche une douleur qui s'étendait jusqu'au coude, la même qu'il avait ressentie plusieurs fois depuis deux semaines. Il avait d'abord cru à une crise cardiaque. La douleur arrivait rapidement, durait quelques secondes et s'estompait, sans autres conséquences. Excluant la crise cardiaque, il crut ensuite à un trop grand zèle à l'entraînement et en diminua l'intensité.

Ce soir-là, la douleur fut un peu plus vive et persista plus longtemps. Tout son corps se raidit, comme si quelqu'un tentait de lui enfoncer une aiguille dans l'articulation de l'épaule. Au bout de trois minutes, la douleur disparut de la même façon qu'elle était apparue, sans signe avant-coureur ni raison apparente.

Trop de choses le stressaient et il se mit à souhaiter que tout cela finisse au plus vite. Prenant de grandes respirations, il recomposa pour la troisième fois le numéro de Pierre, sans plus de succès. Il sortit de son bureau en sacrant contre son fils et contre Yves Fradette.

*

Seul à l'atelier, Pierre cherchait toujours des idées pour son discours, le téléphone à la main en guise de dictaphone. Il déambulait dans l'immense local au sol encombré de piles de matériaux hétéroclites, d'outils et d'équipement de soudure.

Au centre, il contourna de grandes structures tubulaires qui constituaient les éléments de la prochaine œuvre de Philippe-Étienne Brasier. L'artiste réalisait des créations architecturales immenses, hautes de cinq ou six mètres, des enchevêtrements complexes de tuyaux soudés, certains émaillés de couleurs vives et de motifs. Ces œuvres, très colorées et dans lesquelles on pouvait même grimper, attiraient partout la faveur du public. Grâce à un agent avisé et à des représentants commerciaux efficaces, elles se retrouvaient maintenant sur trois continents.

À la fin de la quarantaine, Philippe-Étienne, le meilleur ami de Pierre, connaissait enfin un succès mérité. Quelques semaines auparavant, des acheteurs chinois s'étaient montrés intéressés à acquérir certaines de ses œuvres. Si la Chine s'ouvrait à son art, difficile de prédire vers quel sommet s'envolerait sa carrière.

Bien loin de ces considérations toutefois, Pierre arpentait l'atelier, le regard dans le vide, quand son téléphone vibra dans sa main. L'afficheur indiquait encore « Richard ». Pour la troisième fois, il laissa sonner.

Cet appel le sortit de sa rêverie, mais augmenta son stress. Il avait bien noté quelques platitudes, des anecdotes idiotes mais gentilles où son père avait eu l'air un peu ridicule. Mais il refusa de s'en inspirer. Il ne voulait pas être gentil.

Depuis la mort de Francine, la femme de Richard et la mère de Pierre, leur relation était devenue distante. Des crises comme celle qu'ils vivaient depuis mercredi se produisaient régulièrement pour tout et pour rien. D'une certaine façon, c'était leur manière à eux de demeurer en relation.

Cette fois, par contre, Pierre ne trouvait même plus quelques bons mots à dire sur son père. Aucune des pensées qui lui venaient spontanément à son propos ne pouvait servir à lui rendre hommage.

C'était plus fort que lui, les satanées questions d'Aube Desbiens, qui lui tournaient dans la tête depuis leur rencontre, avaient ravivé des blessures profondes. À ceux qui voyaient Richard Desgroseillers comme un demi-dieu, il aurait voulu parler de ce père absent, toujours là où c'était plus agréable, où il se sentait mieux, en présence de gens tellement plus intéressants que sa femme et son fils.

Depuis la mort de Francine, victime de la maladie d'Alzheimer, les choses avaient bien changé. Pierre ne pardonnait pas à son père d'avoir parqué sa femme dans un mouroir de luxe et de l'avoir oubliée là, trop accaparé par sa vie mondaine et sa mission de sauveur.

Son téléphone vibra de nouveau dans sa main. Si c'était encore lui, il allait pouvoir se défouler, là, sur place. Il fut déçu, car il s'agissait plutôt d'un texto de son fils, Jason : « Je veux te montrer mon discours. Est-ce que je peux te voir ce soir ? »

Pierre hésita quelques minutes. C'était tellement inhabituel comme demande que, malgré lui, il se méfia. Il dut se raisonner toutefois. Il s'agissait de son fils, il n'allait quand même pas refuser de le voir. Il répondit : « Je serai à l'atelier jusqu'à minuit. »

*

En sortant du bar, Aube prit une grande respiration. Elle proposa à Jovette d'aller manger. Elle rêvait d'un gros steak, bien juteux, pour oublier tout ça. Elles n'étaient qu'à quelques rues du restaurant *L'Effet bœuf*. Jovette, grande carnivore, s'enthousiasma. En quelques minutes, elles y étaient, mais durent attendre au comptoir avant d'obtenir une table.

Elles firent la connaissance de Luc et de Jean, qui attendaient aussi. Elles sympathisèrent avec eux. En fait, c'était plutôt Jovette qui assurait la conversation. Aube n'avait plus le cœur au flirt. En attendant leur table, Jovette s'enfila un autre apéro.

Luc et Jean invitèrent les filles à se joindre à eux. Jovette accepta avec enthousiasme. Aube comprit que son amie avait son compte quand le serveur vint prendre la commande et que Jovette dit simplement qu'elle prenait la même chose qu'Aube, qui n'avait pas encore commandé. Cet abandon, cette confiance dans la vie, ça ne ressemblait pas à Jovette. Elle était vraiment saoule.

En temps normal, Luc et Jean ne les auraient probablement pas abordées, mais l'alcool aidant, ils s'étonnaient eux-mêmes de se retrouver à table avec deux belles filles, dont une est un vrai pétard. Comme c'est souvent le cas des gars impressionnés par des filles trop belles, ils sabotèrent eux-mêmes toutes leurs chances de les séduire en faisant des blagues idiotes et des allusions salaces.

Le repas fut servi et le serveur emplit les coupes. Les deux imbéciles riaient entre eux, pendant que Jovette changeait d'humeur. À un certain moment, elle se leva et annonça qu'elle partait, ce qu'elle fit dans l'instant en titubant un peu. Les garçons eurent beau protester, elle ne revint pas. Aube s'excusa aussi, déposa quatre billets de 20 dollars sur la table et s'éclipsa à son tour. Dans la rue, elle trouva Jovette hélant un taxi. Elle fit un détour pour raccompagner son amie et se fit déposer chez elle autour de 22 heures.

En entrant, elle n'alluma aucune lumière. Elle se fit couler un bain et se glissa dans l'eau chaude. La chaleur enveloppante lui fit le plus grand bien. Recroquevillée, elle demeura immobile un long moment, essayant d'oublier sa soirée, sa semaine et sa vie, tant qu'à y être. Comme dans le ventre de sa mère, elle redevint toute petite, à l'abri de la peur et du danger. Un camion de vidange passant dans la ruelle ramena Aube dans son petit bain où l'eau tiédissait.

*

Richard rejoignit Adeline, sa femme, au salon où elle lisait un énorme roman, les lunettes sur le bout du nez et une puissante lampe braquée sur son livre.

Adeline Simard était vraiment très jolie avec ses yeux expressifs et ses taches de rousseur sur son petit nez retroussé. À l'adolescence, elle était sans doute la plus belle fille de Sorel. À quarante ans, ses charmes de jeunesse n'avaient pratiquement rien perdu de leur fraîcheur. Derrière ses airs de jouvencelle, c'était pourtant une femme en pleine possession de ses moyens. Elle dirigeait sa propre entreprise, Adeline Simard Communications, comptant quatre employés permanents et plusieurs rédacteurs, graphistes, illustrateurs et autres pigistes en tout genre.

Adeline et Richard s'étaient rencontrés quelques années plus tôt, lors d'une collecte de fonds au profit de la Fondation Dreaming Québec pour les enfants malades. Adeline comptait parmi ses clients la Société Bernard, une institution privée de recherche et d'expérimentation scientifiques qui recevait des fonds de la Fondation Dreaming pour la réalisation de projets d'études en néonatalogie et en pédiatrie.

Chaque année, la Société Bernard organisait un encan au profit de la Fondation Dreaming. Elle sollicitait ses fournisseurs pour obtenir des objets d'art, des antiquités, des trucs insolites à mettre aux enchères. Cette année-là, Adeline faisait don d'une broderie qu'elle avait réalisée à l'âge de quinze ans. Celle qui s'appelait encore Line à cette époque avait brodé, sur un joli tissu d'environ huit pouces sur dix, une scène de ville avec une artère et des gratte-ciel en perspective. C'était plutôt naïf, mais assez bien réalisé, avec du fil de soie très fin et chatoyant.

Au début de la soirée d'encan, Richard avait remarqué Adeline Simard parmi les convives. Ils avaient d'abord échangé des regards et des sourires, puis Richard s'était présenté et la conversation s'était engagée sans que plus rien puisse l'arrêter.

Quand la broderie d'Adeline fut enfin mise à l'encan, Richard batailla ferme. Elle était aussi convoitée par le vieux M. Bernard, fondateur de la société portant son nom. Richard était déterminé et dut payer 3 850 dollars pour l'obtenir, un record encore inégalé.

Ce soir-là, Richard tomba sous le charme d'Adeline. Elle le sut immédiatement et joua très habilement au jeu de la séduction. En quelques rencontres, il se sentit devenir vraiment très amoureux d'Adeline.

Depuis la mort de Francine, sa première femme, Richard avait vécu quelques amourettes, mais jamais rien de sérieux, pour lui du moins. Avec Adeline, c'était différent. Elle avait un je-ne-sais-quoi d'irrésistible qui obligeait Richard à abattre les obstacles l'ayant tenu, depuis tant d'années, loin d'une vie de couple réelle. Parmi ces obstacles, le plus tenace était sans doute le fantôme de Francine, qui le hantait encore. Pierre ne ratait jamais l'occasion de lui rappeler qu'il s'était montré au-dessous de tout en abandonnant sa femme mourante, au moment où elle avait le plus besoin de lui.

Au début de sa maladie, Francine avait d'abord montré des signes de confusion que Richard n'avait pas trop remarqués, mais qui étaient devenus plus fréquents. Quand le diagnostic de la maladie d'Alzheimer était tombé, Richard, comme sans états d'âme, avait retenu les services d'une aide à domicile. Avec le temps, Francine en était arrivée à devoir être surveillée plus étroitement, puis avait dû être internée l'année suivante. La première semaine, Richard l'avait visitée tous les jours, puis il avait espacé ses visites. Il s'était assuré qu'elle ne manque de rien et qu'elle soit traitée avec humanité, et il avait cessé de venir la voir.

Pendant cet épisode, Richard, si souvent porté à exposer sa vie au public, était demeuré très discret à propos de la maladie de sa femme, de son agonie et de sa mort.

Encore aujourd'hui, Pierre ne lui avait pas pardonné et Richard doutait qu'il le fasse un jour. Quand il s'était mis à fréquenter Adeline plus sérieusement, il avait envoyé, d'une certaine façon, promener son fils et son doigt accusateur. Pierre avait répliqué en s'interdisant d'avoir la moindre sympathie pour Adeline, qui était devenue officiellement sa belle-mère. Une belle-mère qui avait cinq ans de moins que lui.

En pénétrant dans le salon où Adeline lisait, Richard exprima sa colère en bougonnant. Le silence de Pierre, le téléphone de Fradette, et cette fichue douleur à l'épaule l'avaient rendu grognon. S'assoyant dans le canapé de cuir, il attrapa la manette, qui refusa obstinément d'allumer la télé.

— Les piles sont finies. Il y en a à la cuisine, dans le tiroir du milieu, dit simplement Adeline en relevant à peine les yeux de son livre.

— Ostie de patente à gosses. J'aime autant m'en passer, maugréa-t-il en jetant la manette à l'autre bout du sofa.

— Qu'est-ce que t'as? T'es ben à pic!

— Ben non, lança Richard sur un ton qui disait exactement le contraire. C'est Pierre qui ne répond pas à mes messages.

— S'il ne veut pas te parler ce soir, ce n'est pas bon signe. Ça veut dire que tu n'aimeras pas ce qu'il va dire de toi demain. À ta place, je ne lui aurais pas demandé de prendre la parole.

— Je n'ai pas eu le choix. Ce sont les gens du Panthéon qui l'ont demandé. Mais Pierre sait se tenir, se rassura-t-il lui-même. Jamais il ne dirait du mal de moi à une soirée en mon honneur. Tu dis ça parce que tu le détestes.

— Penses-tu qu'il m'aime, lui? En tout cas... Parlons d'autre chose.

— Excuse-moi, bichon. Je sais que Pierre n'est pas facile et que tu fais des efforts...

— Parlons d'autre chose, je te dis.

— T'as raison, excuse-moi.

Après un bref silence, elle demanda:

— C'était qui au téléphone?

— Fradette.

— Ah! Comment va-t-il?

— Très bien. Il voulait m'annoncer qu'on a de nouveaux donateurs. On prend des photos le 17 mai.

— T'as pas l'air content.

— Je suis tanné. Je pense que je veux que ça arrête.

— Qu'est-ce que tu fais des enfants? demanda Adeline. C'est quand même eux qui en profitent le plus. Puis, franchement, pour ce que ça te coûte. Tu ne risques absolument rien et tu passes pour un héros. Je te trouverais bien fou d'arrêter.

Richard demeura un long moment songeur et Adeline ne fit rien pour le distraire de la lutte qui faisait rage en lui. Émergeant de ses pensées, encore plus perplexe, Richard se secoua. Voulant à tout prix se changer les idées, il se leva et fila dans la cuisine, d'où il rapporta de nouvelles piles pour la télécommande.

Adeline, l'air de rien, mit son livre de côté, retira ses lunettes et repoussa la lampe. Richard vit sa séduisante épouse se relever du fauteuil et s'étirer comme une chatte.

Elle vint se blottir dans le grand fauteuil, tout près de lui, la tête sur son épaule.

*

Dès que la sonnette retentit dans le grand atelier, Pierre vint ouvrir à son fils, l'élève-officier Jason D.-Stuart. En entrant, le jeune militaire perçut bien le regard oblique de son père, comme chaque fois qu'il se présentait à lui en uniforme.

Après quatre ans d'études, Jason terminait un baccalauréat en psychologie militaire et leadership au Collège militaire royal du Canada, à Kingston. Dans deux semaines, il allait recevoir son diplôme. Ses vacances seraient toutefois de courte durée, car il allait entreprendre, quelques semaines plus tard, une maîtrise en études sur la conduite de la guerre, toujours au Collège militaire de Kingston.

Quand Pierre avait appris que son fils voulait s'engager dans l'Armée canadienne, il avait d'abord cru à une blague. C'était comme si Julian Lennon avait annoncé à son illustre père qu'il voulait s'enrôler. C'était absurde ! Quand il avait compris que c'était vrai, il avait reçu la nouvelle comme un coup de poing dans la gueule, une atteinte personnelle, comme si Jason lui rejetait au visage ses beaux principes d'amour et de paix universelle.

Il n'avait pu s'empêcher d'exprimer sa déception. « L'armée, on y va quand on est obligé. On ne se propose pas soi-même, à moins d'être débile. » Il avait regretté ses paroles dès qu'elles avaient été prononcées et avait voulu s'excuser, mais le mal était fait.

Jason avait persisté et avait été admis. Pierre, qui venait de perdre un fils, regardait l'autre partir chez les militaires.

Pierre et Emily, la mère de Jason, avaient toujours eu des conceptions radicalement opposées quant à l'éducation des enfants. Elle voyait la chose d'un très bon œil, et lui, par principe, s'opposait à l'idée. Richard n'avait pu résister à l'envie de s'en mêler et il avait pris la part de son petit-fils.

Depuis, Pierre et Jason, qui n'étaient déjà pas très près, s'éloignaient davantage. Jason ne pouvait piffer le jugement de son père et celui-ci avait du mal avec l'arrogance de son fils, une petite frappe prétentieuse.

— C'est grand-p'pa qui m'a demandé de venir te voir, expliqua Jason. Il veut que tu *checkes* mon *speech*.

Jason fouilla dans son sac et sortit quelques pages imprimées, froissées et annotées au crayon rouge, qu'il tendit à Pierre. Ce dernier se mit à lire. Jason avait voulu rendre hommage à son grand-père en lui rappelant des souvenirs d'enfance. Il dépeignait Richard comme un géant, un surhomme, un invincible, bref un grand-papa. L'anecdote du camp d'été, quand Richard avait laissé son petit-fils dans le mauvais camp, l'histoire de la bicyclette neuve ou du petit chandail de laine allaient certainement amuser et émouvoir l'assistance. Pierre ne pouvait s'empêcher d'admirer la plume de Jason, qui avait pondu un texte en français sans fautes d'orthographe ou de grammaire. Il sursauta toutefois au dernier paragraphe, en lisant : « En plus de mon grand-père, j'aimerais remercier Adeline, son épouse, ma "belle"-grand-mère, et pas juste dans le sens de "grandma in law", mais aussi dans le sens de "jolie mémé". Merci, Adeline, pour ton soutien et tes encouragements. »

— « Jolie mémé » ? s'exclama Pierre. C'est quoi ça ?

— Ben oui, c'est une *joke*. Je l'appelle comme ça des fois. Elle trouve ça drôle.

— Je ne suis pas certain qu'elle va beaucoup aimer se faire appeler « mémé » en public, mais c'est toi qui le sais. En fait, je ne comprends pas pourquoi tu la remercies. Qu'est-ce qu'elle a tellement fait pour toi ?

— Elle est fine avec moi ! À part ça, c'est pas de tes affaires, répliqua Jason, agacé.

Pierre ne répliqua pas. Très calme et fier, il remit à Jason son discours.

— C'est parfait, mon gars. C'est un très beau *speech* que tu as écrit là. Ton français est impeccable. Je n'ai pas vu une faute. J'imagine qu'il faut remercier l'armée pour ça. Ça a du bon, les Forces, admit Pierre, avec un sourire en coin.

Jason lui sourit aussi, ravalant son agacement. Il se souvint tout à coup de la demande de Richard.

— Grand-p'pa veut que tu l'appelles. Ça a l'air que ça fait des heures qu'il essaie de te joindre. Tu ne réponds pas à ton cell?

— Je ne l'ai pas entendu, mentit Pierre.

Depuis quelques instants, son esprit vagabondait. En repensant à son fils qui remerciait sa « mémé », une idée lui vint pour son allocution du lendemain. Avec un drôle de sourire aux lèvres, il salua Jason qui partait et se rassit à sa table, la tête pleine d'idées pour son discours.

2

Ça faisait déjà une bonne demi-heure que ça bourdonnait dans sa tête quand Richard regarda son cadran pour
la première fois : il n'était que 4 h 12. Beaucoup trop tôt !
Il devait dormir encore. Il se plaça sur le dos, mit ses écouteurs sur ses oreilles et fit jouer une musique douce. C'était
un truc qui marchait souvent pour l'aider à se rendormir.

Pour une fois, Richard était content qu'Adeline dorme
ailleurs. Quand ils s'étaient mariés, elle avait exigé de faire
chambre à part, mais pour Richard, il n'en était d'abord
pas question. Un couple, ça dort dans le même lit. Dans sa
maison, il n'y avait qu'une chambre principale, pas question de laisser planer le doute dans la tête de leurs amis.
Adeline accepta de faire chambre commune, mais elle
aménagea la chambre d'amis bien à son goût et dormait
là de plus en plus souvent.

Dans ses efforts pour terminer sa nuit, Richard arriva au
mieux à se détendre, mais son esprit indocile partait dans
toutes les directions. Depuis une demi-heure, une série de
pensées obsédantes tournaient en rond dans sa tête. Entre

autres, sa conversation avec Fradette. Plus il y pensait, plus il se disait qu'il fallait que ça cesse avant que tout ça ne tourne mal. Chaque fois, il avait peur et son corps s'administrait à lui-même une petite dose d'adrénaline.

Pour se calmer, Richard revint à la musique. Quelques instants plus tard, il songea à la soirée qu'il s'apprêtait à vivre. Il se voyait déjà faire son entrée au prestigieux Panthéon de la renommée, ce club sélect entre tous qui reconnaissait non seulement l'apport d'êtres exceptionnels, mais leur assurait une pérennité pour des générations. Il se voyait acclamé par ses amis. Cette soirée serait vraiment SA soirée.

Sentant son rythme cardiaque augmenter, Richard se trouva déjà tout fébrile et tendu, le contraire du sommeil. Sa musique douce, plutôt que de l'apaiser, l'agaçait. Peut-être que faire l'amour l'aiderait à se détendre. Il écarta vite cette idée. Il savait par expérience qu'il serait viré. Adeline n'était pas une femme « du matin » et pas beaucoup « du soir » non plus. En fait, Adeline n'était pas tellement « Richard », point. Leurs rapports physiques avaient été nombreux et satisfaisants jusqu'au jour où il lui avait annoncé être atteint d'un cancer de la prostate. Dès ce moment, Adeline s'était montrée distante et avait perdu toute spontanéité, comme si Richard s'était soudainement transformé en mort vivant. Il avait beau s'entraîner tous les jours et avoir retrouvé sa forme d'antan, et même plus, l'image du vieux grabataire, ravagé par la chimio, s'était gravée dans sa tête. Sans vouloir l'avouer directement, tout était maintenant plus important pour elle que sa vie sexuelle avec lui, un rendez-vous le lendemain, un début de grippe, une courbature, sans compter toutes les fois où elle avait refusé par souci de sa santé à lui. Il tenta de retracer la dernière fois qu'ils avaient fait l'amour. C'était deux mois plus tôt, peut-être un peu plus. Il s'en attristait.

À 5 h 15, il se persuada qu'il ne refermerait plus l'œil et décida de se lever en se promettant de faire une sieste en après-midi. Il entra dans la salle de bain, enfila sa robe de chambre et descendit à la cuisine. En passant devant la porte d'entrée, il constata que le journal *La Une* était déjà là.

Dès qu'il l'eut en main, il scruta la première page, cherchant un titre le concernant. Il trouva, parmi les manchettes, un minuscule encadré qui disait «Richard Desgroseillers, le coureur de "fonds" – cahier Société, p. 6 et 7». Il sourit et apprécia le jeu de mots.

Il s'installa à l'îlot de la cuisine et trouva les pages 6 et 7 du cahier Société. Il était bien servi. Les pages centrales du cahier lui étaient entièrement consacrées. Le titre «Richard Desgroseillers, le coureur de "fonds"» était accompagné d'une photo de lui, en jogging et arborant une réplique grand format d'un chèque au montant de 75 000 dollars. Le reportage comptait trois articles, dont il lut d'abord les titres: «Monsieur le robot», «Vouloir le bien… et l'obtenir» et le dernier, «Étreindre la vie». Plusieurs autres photos accompagnées de petits textes bien punchés agrémentaient le tout.

Après s'être préparé un café, il s'installa pour lire les articles. Il n'aurait pas pu souhaiter mieux. Le reportage était parfait et donnait de lui un portrait franchement flatteur. Les articles étaient bien charpentés, écrits dans un style riche, vivant, direct. C'était son histoire à lui, il la connaissait bien et, en se voyant ainsi décrit, il se sentit regonflé de fierté.

*

En déjeunant, Pierre lut avec une certaine indifférence les articles d'Aube Desbiens. Elle le citait à quelques reprises, respectant mot pour mot leur conversation. Il imaginait son père jubiler d'orgueil à se voir ainsi louangé dans les pages de *La Une*. «Qu'il en profite!» se disait-il, un sourire malicieux aux lèvres. C'était la journée des hommages et il lui en réservait un bien senti pour le soir même, au banquet. Attrapant son téléphone, il voulut féliciter son père pour le reportage.

À l'autre bout, Richard, qui s'était plaint que son fils ne répondait pas à ses appels, hésitait maintenant à lui répondre. Il craignait l'affrontement à propos de la journaliste qu'il lui avait imposée, le mercredi précédent, et ne se sentait pas d'attaque. Il voulait pouvoir juger de son état d'esprit et le dirigea vers sa boîte vocale.

« Salut, p'pa. Excuse-moi. Tu m'as appelé quelques fois hier, mais j'étais à l'atelier, je n'ai pas entendu sonner. Quand j'ai écouté tes messages, il était trop tard. Si ça peut te consoler, dis-toi que j'étais en train d'écrire mon discours pour ce soir. Je sais que tu aurais aimé le lire avant, mais tu vas devoir me faire confiance. Inquiète-toi pas, je dis juste de belles affaires… Félicitations pour le reportage dans le journal de ce matin. C'est bon ! Tu dois être content… Je voulais te dire aussi que la rencontre forcée avec Aube Desbiens, l'autre jour, c'est correct. Sans rancune… C'est ça que je voulais te dire. On se voit ce soir. Bye. »

Pierre fut soulagé. Son père ne croirait probablement pas grand-chose de ses excuses, mais il serait sensible à la main tendue. S'ils n'avaient pas enterré la hache de guerre, ils l'avaient néanmoins balayée sous le tapis.

*

En robe de chambre, Aube cueillit, elle aussi, son journal sur le balcon. Elle le déplia et le posa sur la table. Avant de s'asseoir avec un grand bol de café au lait et deux toasts à la confiture, elle retira le cahier Société de la pile et le jeta directement dans le bac vert. Elle n'avait surtout pas envie de se replonger dans tant de complaisance.

*

Pierre consacra une partie de son après-midi à peaufiner son discours, à le répéter, à se le mettre en bouche pour que tout le monde y croie.

Il arriva dans le hall de la salle de bal du *Ritz-Carlton*, où, déjà, une bonne quarantaine de dames très chics et de messieurs en smoking, cocktail à la main, conversaient dans un brouhaha feutré.

Dans son costume loué, Pierre se mit à circuler parmi les convives. Il s'étonnait de voir là quelques vedettes du petit et du grand écran, venues rendre hommage à son père. Richard les connaissait tous personnellement pour avoir œuvré avec eux, à un moment ou à un autre et pour diverses causes.

À travers les convives, Pierre se frayait un chemin. Il connaissait quelques personnes, s'arrêtait, échangeait quelques mots. Il vit de loin Raymond Trudel, cousin et ami de Richard. Pour Pierre, Raymond était un bon « mononcle » sympathique, drôle, qu'il rencontrait rarement, mais toujours avec plaisir. Il se dirigea vers lui.

— Toi, mon snoreau ! s'exclama Raymond quand il l'aperçut. Prépare-toi à te faire tomber sur la tomate. Ton père te cherche depuis hier.

— Je lui ai laissé un message ce matin. Je me suis excusé. C'est correct.

— Et ton discours ?

— Il est parfait, mon discours.

— J'ai hâte d'entendre ça. C'est tellement important pour lui, cette soirée-là. Tu connais ton père... Le Panthéon ! On rit plus. Je te le dis, il porte plus à terre. As-tu lu le journal ce matin ?

— Je te gage qu'il t'a demandé d'aller lui en acheter des copies pour ses archives.

— Douze...

Ils rirent de bon cœur, mais presque au même moment, Pierre vit s'approcher le Dr Ravel, ami de Richard et médecin de la famille depuis près de quarante ans, qui voulut s'intégrer à leur conversation. Pierre ne portait pas Yvan Ravel dans son cœur, même s'il s'agissait du médecin qui l'avait soigné pendant son enfance et la plus grande partie de sa vie adulte. C'est le Dr Ravel qui avait facilité l'internement de sa mère dans ce centre de soins de longue durée, qui avait signé tous les papiers et, d'une certaine façon, qui avait aidé Richard à s'en laver les mains. Il avait choisi son camp à lui et Pierre ne lui pardonnait pas.

— Bonsoir, Pierre. Il y a longtemps qu'on s'est vus.

— Oui, très longtemps, confirma Pierre, qui ne semblait pas s'en émouvoir.

— Tu vas bien ?

— Comme vous voyez, répondit Pierre au même moment qu'il apercevait son fils entrer dans la salle, accompagné de sa mère. Excusez-moi, je vais aller accueillir Jason et Emily.

— Si tu as quelques minutes, ajouta Yvan Ravel, n'importe quand, fais-moi signe, j'aimerais beaucoup qu'on se parle.

— D'accord, répondit Pierre, en se disant pour lui-même : « Tu peux toujours attendre, vieux schnock. »

En entrant dans la salle, le couple singulier que formaient son ex-femme et son fils avait attiré l'attention et les regards admiratifs. S'approchant d'eux, Pierre devint un peu nerveux.

Emily, dans une somptueuse robe longue en soie brute, conservait, comme toujours, son allure altière. On aurait dit une reine accompagnée de son prince d'apparat. Jason, dans son uniforme écarlate, avec gants et médailles, tendait son bras droit à sa mère et tenait sous l'autre son képi noir à lisière jaune des grandes occasions. Pendant une partie de la journée, il avait astiqué chaque bouton de son uniforme pour les rendre brillants comme de l'or, ciré ses bottines jusqu'à ce qu'on puisse s'y mirer et fait disparaître le moindre faux pli de ses vêtements.

— Bonsoir, Pierre, dit Emily.

— Bonsoir, Emily, je suis content de te voir. Tu es magnifique ce soir.

Même après leur séparation éprouvante, Pierre n'avait jamais cessé d'apprécier la façon charmante qu'avait Emily de casser légèrement le français, qu'elle parlait très bien par ailleurs. Il n'avait pas arrêté non plus de la trouver belle. Sa chevelure d'Andalouse cascadait sur ses épaules. Ses yeux, au regard vif, le fascinaient toujours autant. Si Pierre n'oubliait rien des bons et des mauvais moments de leur relation, il n'avait plus de colère ou d'amertume envers elle.

Pierre et Emily avaient grandi chacun dans leur monde, elle chez les pauvres de Pointe-Saint-Charles et lui parmi les nouveaux riches du quartier Saint-François, à Laval. Elle avait vingt et un ans et lui vingt-deux quand ils tombèrent amoureux dans les couloirs de l'Université McGill. Il s'était inscrit en administration, pour faire plaisir à son père, qui payait ses études, et elle étudiait en finance, par passion, et elle devait trimer dur pour y arriver.

Emily avait choisi Pierre et lui s'était laissé prendre par elle, attiré par son corps, son énergie et son intelligence. Il avait eu d'autres blondes avant, mais Emily avait été sa première «conjointe». Pendant la dernière année de leur bac, ils avaient décidé d'habiter ensemble. Pierre n'aurait jamais réussi aussi bien ses études sans le sérieux et la détermination d'Emily à réussir les siennes.

Une fois diplômé, il avait voulu travailler, faire du *cash* et s'affranchir de son père. Il s'était rendu compte toutefois que le nom de Desgroseillers ouvrait bien des portes. Grâce aux contacts de Richard, il avait décroché rapidement un emploi de chargé de comptes chez un grossiste en matériaux de construction. Très vite, Pierre avait fait sa marque et, encouragé par Emily, il était devenu, quelques mois plus tard, chef d'équipe et, l'année suivante, représentant régional et à la tête d'un réseau de plus de cent représentants. Grâce à l'enthousiasme et à l'énergie de sa conjointe, l'avenir lui souriait.

Emily, persuadée d'avoir trouvé le bon gars, se mit à faire des projets d'avenir. Au cours des deux années suivantes, ils se marièrent, elle donna naissance à Jason et ils achetèrent une première maison, en banlieue. Sous le poids de ces nouvelles responsabilités, Pierre bombait le torse, déterminé à assurer le bien-être de sa famille et à relever les défis de sa vie professionnelle, malgré ses nombreuses nuits blanches à tenter d'endormir le petit.

Agréablement surpris par la nouvelle vie de son fils, Richard s'amena un jour avec une proposition d'affaires, une occasion en or, disait-il, à ne pas manquer : l'achat d'une petite usine de fabrication d'équipement pneumatique et hydraulique. Richard voulait investir et cherchait des partenaires. Il proposa à Pierre de l'aider à obtenir des fonds et lui demanda non seulement d'embarquer dans l'aventure, mais d'en prendre la direction.

Pierre songea d'abord à refuser. Ce secteur industriel ne l'intéressait pas et il n'y connaissait rien. De plus, voulait-il vraiment son père comme partenaire d'affaires ?

Emily, elle, s'enthousiasma pour le projet. À ses yeux, Richard tendait une perche à son fils pour l'aider à améliorer son sort. Elle connaissait leur relation parfois tendue, mais elle n'aurait pas compris que Pierre refuse. Il accepta donc et devint P-DG d'une entreprise de vingt-trois employés, dont le chiffre d'affaires frisait les 5 millions de dollars.

Après la naissance de Jason, Emily entreprit un MBA, au terme duquel elle tomba enceinte pour la deuxième fois. Pierre aurait préféré retarder un peu l'événement, mais parvint quand même à s'enthousiasmer.

Peu de temps après, par contre, tout sembla se détraquer. D'abord, le marché de l'équipement pneumatique et hydraulique fut envahi de produits en provenance de la Chine qui firent tomber les prix. Les ventes de l'entreprise chutèrent dramatiquement et la situation exigea la mise en place de mesures de redressement sévères. Pierre dut, entre autres, renégocier avec ses fournisseurs et imposer des baisses de salaires aux employés, ce qui envenima les relations de travail. Lui-même cessa de se verser un salaire.

Malgré tous les efforts de Pierre, l'entreprise ne reprit jamais du poil de la bête. Au bout de huit mois de ce régime, il flirtait dangereusement avec le *burn-out*. Honteux, ravagé par ce constat d'échec, il portait sur ses épaules le regard lourd de jugement du paternel qui ne cachait pas sa déception. Pierre se sentit libéré d'un énorme poids le jour où il déposa sa lettre de démission.

Presque deux ans jour pour jour après la naissance de Jason, Emily accoucha de David, leur deuxième fils. Pierre, occupé à panser ses plaies, accepta sa proposition de prendre la relève à la maison pendant la première année de vie du poupon. Nouvellement diplômée et dotée d'un talent exceptionnel pour les affaires, Emily entreprit cette année-là une fructueuse carrière dans le secteur de la vente au détail. Pendant l'année qui suivit, elle pourvut aux besoins de la famille et Pierre s'occupa des enfants, développant avec son nouveau fils des liens étroits que jamais il n'avait pu créer avec Jason.

Quand il se remit à la recherche d'un travail, Pierre voulut à tout prix éviter le stress inutile. Il décrocha cet emploi de conseiller à la mise en marché pour la Ville de Montréal, qu'il occupait encore aujourd'hui. Il n'avait jamais vraiment été passionné par ce travail, mais il excellait dans sa tâche sans devoir y mettre trop d'efforts.

Après dix-sept ans de mariage, Pierre et Emily s'étaient installés dans une relation encore marquée de tendresse, mais dénuée de fantaisie. Loin d'être en enfer, Pierre se voyait plutôt comme au centre d'une grosse balle d'ouate :

il ne ressentait pas grand-chose, mais entretenait l'illusion que rien ne pouvait l'atteindre. Par un bel après-midi de juillet, cette illusion lui explosa au visage.

À quinze ans, son fils David perdit la vie lors d'un accident de ski nautique causé par un ivrogne. Cette bombe atomique balaya tout dans sa vie. Emily et lui s'accrochèrent tant bien que mal l'un à l'autre, mais malgré leurs efforts, leur peine les éloigna comme deux âmes à la dérive, jusqu'à la rupture.

Depuis, Pierre et Emily se voyaient de loin en loin, sans amertume, conscients l'un et l'autre qu'ils s'étaient laissés bien avant leur séparation. Richard avait toutefois conservé une très bonne relation avec son ex-bru. Ils s'aimaient bien tous les deux.

Dans le brouhaha des invités toujours plus nombreux dans le hall de la grande salle de bal de l'hôtel, Pierre prit des nouvelles de sa santé et de ses affaires. Emily fit de même. Ils échangèrent quelques banalités et se souhaitèrent bonne soirée.

En quittant Emily, Pierre aperçut presque aussitôt Aube Desbiens à la table d'accueil des médias. Vêtue très sagement d'une robe de soirée noire, toute simple, d'un carré de soie anthracite et d'un collier de perles véritables, elle était belle à couper le souffle. Elle n'avait rien d'exubérant, mais elle éclipsait toutes les autres femmes, à ses yeux à lui du moins.

Elle se dirigeait vers la table des journalistes, où le photographe de *La Une* était déjà installé, quand il l'aborda en cherchant quoi lui dire. Déçu de leur seule et unique rencontre, Pierre ne savait pas trop qui devait s'excuser de quoi, mais chose certaine, il voulait réparer ce qui pouvait l'être.

— Bonsoir, dit-il, l'œil goguenard. Vous vous souvenez de moi?

Aube, surprise, ne put cacher sa légère panique à se trouver devant Pierre, pour qui elle nourrissait un sentiment fait de déception, de culpabilité et d'embarras. Son sourire la rassura quand même un peu.

— Vous voulez rire ? Comment vous oublier ?

— Oui, je sais. Je voulais d'ailleurs m'excuser pour l'accueil. Les circonstances n'étaient pas…

— Non, non ! C'est plutôt à moi de vous demander pardon, interrompit Aube. Je n'ai pas été très professionnelle. Je m'en suis voulu beaucoup…

— Heureux de l'apprendre, dit Pierre en éclatant de rire.

Aube rit aussi. Une fois son malaise un peu dissipé, elle s'étonna de voir à quel point l'homme devant elle contrastait avec le souvenir qu'elle en gardait. Dans ce smoking, Pierre affichait un charme fou.

Juste comme passait un serveur au cabaret bien rempli, Pierre cueillit deux coupes de champagne et en offrit une à Aube. Ils trinquèrent.

— Recommençons à zéro, proposa-t-il.

— D'accord. Parlez-moi de vous. C'est vrai que vous êtes sculpteur ?

— Sculpteur, c'est un bien grand mot. Disons que je m'amuse à souder des bouts d'acier. Les résultats ne sont pas toujours concluants, mais ça me détend.

— Comment en êtes-vous venu à la sculpture ? C'est loin du travail de fonctionnaire.

— Bof. C'est une longue histoire.

— Un élève de Philippe-Étienne Brasier, c'est intrigant quand même. J'aimerais bien voir ce que vous faites.

— Il n'y a pas grand-chose à voir. Je ne conserve pas beaucoup de mes œuvres.

— Ah oui ! C'est encore plus intrigant.

Pierre n'eut pour réponse qu'un petit sourire désolé, une façon de dire « tant pis ».

*

— Mesdames et messieurs, bonsoir et bienvenue, entama le maître de cérémonie. Je vous invite à gagner vos places, la cérémonie d'admission va débuter dans quelques instants.

Dès que les convives furent assis et que la lumière fut tamisée, un projecteur se braqua sur la porte principale et le maître de cérémonie annonça avec emphase :

— Mesdames et messieurs, accueillons Richard Desgroseillers et son épouse, Adeline Simard !

Richard et Adeline firent leur entrée dans la salle, au centre de la pastille de lumière. Spontanément, tous les invités se levèrent et applaudirent énergiquement. Des hourras et des bravos fusaient. Richard, grand seigneur, avançait dans l'allée centrale, son épouse à son bras, saluant des connaissances au passage, jusqu'à la table d'honneur devant la tribune, où il aida galamment Adeline à prendre place avant de s'asseoir.

Sur scène, le président et les quinze officiers du Panthéon, tous vêtus de la toge officielle, avaient pris place sur une estrade face au public.

— Mesdames et messieurs, ce soir, les membres du Panthéon de la renommée vont admettre un nouveau membre dans leurs rangs, M. Richard Desgroseillers. Depuis quarante ans, cet ingénieur visionnaire, homme d'affaires redoutable et maintenant grand philanthrope contribue de façon remarquable à l'essor de notre société.

Le présentateur continua ainsi pendant de longues minutes à retracer les réalisations marquantes de Richard et les raisons pour lesquelles il était admis au sein de la très sélecte confrérie.

Après quoi, Richard fut invité à monter sur scène, où il enfila d'abord la toge ocre et bourgogne. Il prêta ensuite serment d'allégeance, puis on dévoila la peinture le représentant et qui allait rejoindre les autres dans la grande salle du conseil du Panthéon. On lui passa à l'annulaire droit la chevalière officielle du Panthéon, qui devait également servir de sceau pour authentifier tous ses échanges et ses écrits officiels.

Richard avait un jour déclaré que les « gugusses » (c'était son expression) du Panthéon se prenaient un peu trop pour des Templiers avec tout leur tralala. Devenu lui-même un de ces gugusses, il n'avait plus la même opinion et tout ce tralala prenait à ses yeux un sens quasi mystique.

Après la cérémonie, l'entrée fut servie. Une quinzaine de minutes plus tard, dans le murmure des conversations, le maître de cérémonie reprit la parole et annonça que, tout au long du repas, des proches et des amis de Richard allaient venir lui rendre hommage. Il enchaîna aussitôt en invitant le juge à la retraite, Paul St-Jean, à prendre la parole. Celui-ci raconta, un peu gauchement et en ratant parfois ses *punchs*, quelques anecdotes de leur enfance de fils de cultivateurs de Laval à la fin des années 1940. Il décrivit très bien toutefois le parcours professionnel de ce *self-made-man*.

Dès l'âge de neuf ou dix ans, Richard s'était passionné pour la mécanique, les tracteurs et la machinerie de ferme, mais pas du tout pour l'agriculture, au grand désespoir de son père, dont c'était le seul fils. Quelques années plus tard, quand il avait entrepris des études à l'École Poly-technique pour devenir ingénieur, son père l'avait prati-quement renié. Il avait dû assumer lui-même le coût de ses études en travaillant jusqu'à trente heures par semaine dans un garage de mécanique automobile.

Dès sa fondation, l'entreprise DLL, qu'il avait cofondée, fit sa marque et mit au point des innovations en matière de robotique qui furent rapidement implan-tées dans des milliers d'usines à travers le monde. Richard, à lui seul, fit enregistrer plusieurs brevets qui le mirent vite à l'abri du besoin et grâce auxquels il encaissait toujours des revenus respectables.

Entre le plat principal et le dessert, ce fut au tour de Rose Daveluy de prendre la parole. Elle raconta l'anecdote des *Insolences d'un téléphone,* mais loin de remplir les dix minutes qui lui étaient allouées, elle enchaîna sur l'importance de l'implication sociale, statistiques à l'appui. Elle était ennuyeuse comme la pluie et parla pendant près de vingt minutes.

Heureusement, Jason suivait immédiatement. Là, Richard était content. Il savait que le jeune allait casser la baraque. Il était tellement drôle dans la vie, un vrai petit singe. Comme prévu, Jason avait choisi les bonnes anecdotes, qu'il racontait avec beaucoup d'aplomb.

— Mon grand-père est un homme très occupé, mais aussi très distrait. Un jour, il s'est mis dans la tête de venir me reconduire à la garderie. Il avait apporté son premier téléphone cellulaire. Déconcentré par une conversation, non seulement il s'est trompé de chemin, mais on s'est retrouvés sur la route pour Ottawa, je ne saurais vous dire comment. Ça lui a pris une demi-heure pour retrouver son chemin.

Richard eut tour à tour de grands éclats de rire, de tendres émotions et de petites larmes à l'œil, pour revenir encore au rire et à la nostalgie qui fait du bien.

— En plus de mon grand-père, poursuivit Jason, j'aimerais remercier Adeline, son épouse, ma « belle »-grand-mère, et pas juste dans le sens de *« grandma in law »,* mais aussi dans le sens de ma « jolie mémé ». Merci, Adeline, pour ton soutien et tes encouragements.

Adeline, très touchée par la flatterie, lui souffla du bout des doigts un baiser et lui lança un clin d'œil complice.

Richard jetait un regard rempli d'admiration à son petit-fils, un regard que Pierre avait toujours attendu de lui, mais qu'il n'avait jamais reçu. Richard avait affirmé un jour que l'une des meilleures choses que Pierre ait faites dans sa vie avait été de lui donner Jason, le petit-fils parfait. Très jeune, Jason avait impressionné Richard : joueur de hockey vedette de la ligue locale, président de classe, président du conseil étudiant de son *High School,* capitaine de l'équipe de football, etc. Il était aussi un orateur-né. Il avait saisi son public dès les premiers mots et ne l'avait libéré qu'au dernier.

À la toute fin, l'élève-officier Jason D.-Stuart, en uniforme d'apparat, se mit au garde-à-vous devant son grand-père et lui fit le salut militaire. Richard, solennel, se leva pour le saluer à son tour avec une raideur solennelle. Pierre ne crut pas trop à la spontanéité du geste. Connaissant son père, il le soupçonnait d'avoir répété pendant l'après-midi.

Sous les applaudissements de l'assistance, l'animateur de la soirée revint à la tribune.

— Merci, Jason. Merci pour ce beau témoignage. Maintenant, le dernier de nos orateurs, mais non le moindre, comme on dit : le fils de notre grande vedette de la soirée, M. Pierre Desgroseillers.

Richard observa Pierre s'installer à la tribune, intrigué et quand même un peu inquiet.

— J'ai eu le plaisir ce matin de lire dans le journal un reportage fantastique sur mon père. Des gens ici l'ont lu ?

Des applaudissements se firent entendre et des mains se levèrent, dont celle de Richard.

— Félicitations à la journaliste de *La Une*, Aube Desbiens, qui est avec nous ce soir.

L'assistance applaudit Aube poliment.

— C'est du beau travail. Son portrait nous le rend encore plus sympathique et attachant. Je dois toutefois vous avouer que je suis un peu resté sur ma faim en lisant son reportage. Je me suis demandé ce qui manquait aux textes d'Aube Desbiens et j'ai fini par trouver. On dit souvent que derrière chaque grand homme, il y a une femme. Aube Desbiens fait peu mention de cette femme qui s'est tenue derrière Richard. Ça se comprend et ce n'est pas sa faute, puisque cette femme, Francine Jolicoeur, a choisi de vivre dans l'ombre plutôt que de briller aux côtés de Richard.

Adeline se redressa et saisit la main de Richard, qui bougea nerveusement sur sa chaise.

— Si vous me le permettez, dans ce concert d'éloges pour mon père, je vais prendre quelques minutes pour vous parler de cette grande femme derrière l'homme : Francine Jolicoeur.

Richard paniqua quand Pierre annonça son sujet. Il abandonna la main d'Adeline pour se gratter le front dans l'espoir de camoufler son trouble.

— Ma mère, que certains d'entre vous ont connue, a consacré sa vie à mon père, à ses succès, à ses idéaux. Francine Jolicoeur est celle qui a le plus contribué au rêve de mon père de devenir le sauveur de l'humanité qu'on connaît.

Les gens rirent. Pierre relata les années pendant lesquelles Francine s'était consacrée à soutenir Richard, à s'occuper de tout, de la maison, des finances, des autos, de tout ! Il raconta la patience, le courage et l'amour inconditionnel de cette femme.

— Ma mère a été le pilier qui a permis à mon père de s'élever et ce dernier lui en a toujours été reconnaissant. Mes parents se sont mariés amoureux et le sont demeurés, affirma Pierre sur le ton de la gratitude.

Richard arborait un sourire figé en écoutant son fils raconter des énormités tout en ayant l'air de lui rendre hommage.

— Ce lien amoureux s'est même renforcé, poursuivit Pierre, le jour où ma mère a montré les premiers signes de maladie. Dès le début et jusqu'à la toute fin, elle a pu compter sur le soutien indéfectible de mon père.

Richard reprit la main d'Adeline, devenue un peu moite. Elle la retira quelques secondes plus tard.

— Pour son amour et son engagement, continua Pierre, pour sa présence rassurante qui nous manque tellement, pour la chaleur qu'elle savait répandre, je lève mon verre à Francine Jolicoeur, ma mère !

Solennellement, tous levèrent leur verre. Pierre quitta son lutrin pour aller trinquer personnellement avec son père à la mémoire de sa mère. Il vit dans ses yeux que le coup portait. Il semblait crier grâce. Mais ne voulant rien lui épargner, Pierre reprit la parole.

— Je veux porter un autre toast pour la gratitude dont il a fait preuve, pour son courage et son sens aigu de la dignité humaine. Je lève donc mon verre à Richard Desgroseillers, mon père!

Après avoir trinqué en silence, l'assistance, touchée, émue, applaudit généreusement Richard pour son élégance de cœur, ses vertus et sa grandeur d'âme dont avait témoigné son fils. Pierre, qui applaudissait à tout rompre, capta le regard de son père et y lut un profond désarroi, qui passa aux yeux de la majorité des convives pour une émotion profonde. Le simple fait qu'il salue son public en retour de cette ovation constituait en soi un mensonge éhonté. On l'acclamait pour des vertus qu'il ne possédait pas. On l'admirait pour une grandeur d'âme qu'il n'avait pas.

Richard se composa un visage de gratitude et d'émotions vives, mais pesta intérieurement contre son fils. Adeline Simard, tout en applaudissant, s'approcha de son mari et lui glissa à l'oreille, sur un ton méchant: «Je te l'avais dit.»

Pierre sortit de scène sous les applaudissements de l'assistance.

— Merci, Pierre, enchaîna le maître de cérémonie. Maintenant, voici celui que nous attendons tous, celui pour qui nous sommes ici ce soir. Mesdames et messieurs, accueillons-le, Richard Desgroseillers!

En apparaissant sur scène, Richard eut droit, comme il l'avait souhaité, à une ovation debout. Mais contrairement à ce qu'il s'était imaginé chaque fois qu'il anticipait ce moment, il n'en tira aucun plaisir, aucune fierté. Rien. Pierre lui avait saccagé son événement.

Debout, au lutrin, il relisait les quelques notes griffonnées sur un bout de carton, mais l'inspiration lui manquait. Il eut beau se secouer, mais peine perdue, son don pour la parole facile et la blague légère l'avait abandonné. La magie n'opérait pas. Ses gags tombaient à plat et il ne parvenait pas à soulever l'auditoire.

Voyant Richard si remué, l'assistance crut que l'émotion liée aux tendres souvenirs de son épouse l'étreignait et se remit à l'applaudir de plus belle. Richard leva les bras pour faire cesser l'ovation.

— Excusez-moi, je suis très touché par ce qui se passe. Je suis sans mots, mais ce n'est pas grave, puisque la seule chose que je tiens absolument à vous dire, c'est merci. Je vous remercie sincèrement d'être ici ce soir. Je vous remercie tous, vous qui avez contribué, de près ou de loin, aux réalisations pour lesquelles je suis acclamé. Je veux remercier le Panthéon de m'admettre en son sein. Je veux aussi dire merci à mon épouse, Adeline, et à tous ceux que j'oublie. Continuez à vous amuser. Merci et bonne fin de soirée.

Richard se retira du lutrin, le dos un peu voûté et à petits pas. Il avait offert une performance médiocre et n'avait ému personne. Il s'était littéralement fait voler la vedette par son fils.

Pierre s'en voulut d'abord un peu d'avoir frappé si fort et s'inquiéta de voir ainsi son père affaibli, diminué aux yeux de tous. Il se précipita vers lui de peur qu'il ne perde pied dans l'escalier, ce qui nourrit les applaudissements de l'assistance. Richard repoussa son bras en marmonnant, sur un ton très agressif : « J'ai pas besoin de toi ! », que seul Pierre comprit.

Richard regagna sa place en saluant l'auditoire, qui s'inquiétait un peu de le voir si ébranlé.

Pendant le reste de la soirée, Pierre chercha des yeux son père dans la salle. Contrairement à ce qu'il s'était dit jusqu'au moment de prononcer son discours, et même pendant, il ne se foutait pas de l'avoir blessé. Il ne s'en foutait pas, mais il trouvait qu'il l'avait bien cherché.

Richard se ressaisit rapidement et retrouva son enthousiasme habituel. Il se mit à déambuler joyeusement de table en table, saluant ses amis au milieu des rires et des accolades, comme il s'était promis de le faire. Adeline assumait à merveille son rôle d'épouse, malgré la colère qui grandissait en elle de se sentir rabaissée au rang de potiche.

À un certain moment, Richard fut assailli de nouveau par cette satanée douleur à l'épaule. Contrôlant tant bien que mal ses réactions, il se massait discrètement l'épaule, mais son malaise devint évident. Adeline, ne comprenant pas ce qui se passait, crut d'abord percevoir les premiers signes d'une attaque cardiaque et l'obligea à s'asseoir, prête à donner l'alerte.

— Non, non, ça va bien. J'ai juste mal à l'épaule. Ce n'est pas la première fois et ça finit toujours par passer, dit-il pour la rassurer.

La douleur passa, mais Adeline, encore blanche de peur, empêcha Richard de se relever.

— Depuis combien de temps t'as ça ? demanda Adeline sur un ton chargé de reproches.

— Quelques jours. Ce sont de petits élancements, il n'y a pas de quoi en faire un plat, dit-il en sortant d'une poche de son veston une petite bouteille de comprimés antidouleur.

— De petits élancements ? T'as eu l'air de souffrir le martyre. Pourquoi tu ne m'en as pas parlé avant ?

— T'en fais pas. Ça va s'arranger. Tiens ! Trouve-moi Yvan discrètement. Je vais lui en parler tout de suite, si ça peut te rassurer.

Adeline trouva Yvan Ravel, à qui Richard expliqua son mal. Il lui dit qu'il avait d'abord cru, lui aussi, à un malaise cardiaque, puis à un excès de zèle à l'entraînement. Il avait ralenti ses activités, mais les épisodes de douleur persistaient, pas toujours très longs, mais pénibles.

Sans vouloir l'avouer, Richard avait même pensé au pire. Il s'était battu, trois ans plus tôt, contre un cancer de la prostate et même s'il était sorti victorieux de son combat, il gardait toujours en tête la menace d'une récidive. Dans ce contexte, cette douleur, inexplicable, imprévisible et plus aiguë s'il était stressé ou fatigué, devenait suspecte.

— Je vais passer te voir demain matin, chez toi, promit le médecin.

— OK, si tu ne peux pas avant. Il me reste des pilules contre la douleur, mais qui ne font pas tellement effet. J'aurais vraiment besoin que tu me prescrives quelque chose. J'ai mal, ça n'a pas de bon sens.

— À ce point-là ?

Yvan, qui gardait toujours quelques feuilles de son carnet d'ordonnances dans son porte-monnaie, prescrivit un médicament plus puissant et remit le papier à Richard.

— Merci, je te revaudrai ça.

Yvan Ravel enchaîna sur un autre sujet.

— Ton fils ne t'a pas manqué ? Comment t'as trouvé son discours ?

— Ça ne m'a pas dérangé pantoute. Tu connais Pierre, il faut surtout pas trop s'en faire.

— Je vais te redire ce que je te dis depuis toujours. Parle-lui.

— Ben voyons donc. J'ai rien à dire. Oublie donc tout ça, coupa Richard. Je t'attends demain. Merci encore… T'es un vrai chum.

*

Pierre reçut des félicitations à la pelle pour son magnifique hommage. La plupart des gens n'avaient pas connu Francine personnellement, sauf quelques personnes, dont Raymond Trudel. Lui n'avait pas de félicitations pour Pierre. Il le prit d'ailleurs à part pour lui dire le fond de sa pensée.

— Tu n'y es pas allé de main morte. C'est un coup bas que tu as fait à ton père. Tu ne sais pas ce que représentait cette soirée pour lui. Un jour ou l'autre, tu vas devoir t'excuser pour ça.

— M'excuser ! s'exclama Pierre. Je n'ai fait que ce qu'il m'a toujours demandé de faire, redorer son blason aux yeux de tout le monde, expliqua-t-il dans une tentative dérisoire pour se justifier, à laquelle il ne croyait pas lui-même.

— Ne joue pas sur les mots. Tu vas devoir, un jour, régler tes affaires avec ton père. Si tu veux mon avis, le plus tôt sera le mieux. Parle-lui ! conclut Raymond sèchement, avant d'aller rejoindre d'autres convives.

Pierre mesurait encore mal la portée de son geste, mais un sentiment de culpabilité commençait à poindre en lui.

Quand Richard décida de partir, un murmure parcourut l'assistance. Le rituel d'admission au Panthéon de la renommée prévoyait qu'au moment du départ du nouvel admis, une annonce devait être faite et que les convives encore présents devaient porter un dernier toast à sa santé.

Pierre trinqua et voulut dire bonsoir à son père. Une douzaine de personnes entouraient Richard et, alors qu'il tentait de se frayer un chemin, quelqu'un le retint par le bras. C'était le Dr Ravel.

— Laisse faire pour ce soir, lui dit-il sur un ton qui ne permettait aucune réplique.

Pierre dévisagea le médecin, l'air de vouloir l'affronter.

— Il est bouleversé. Comprends ça. Tu le rappelleras demain, ou même lundi.

Déchiré entre le désir de parler à son père et celui de fuir, Pierre se dégonfla.

— Il m'en veut à ce point-là ?

— Mets-toi à sa place.

La « leçon » que Pierre avait voulu donner à son père lui semblait maintenant être la pire des idées qu'il ait eues de sa vie. Une très vieille émotion, aussi vieille que lui-même, mais qui n'avait rien perdu de son acuité, l'envahit. Il avait déplu à son père et, exactement comme quand il était petit, il aurait voulu tout rattraper, tout effacer, se faire pardonner. Mais Richard était parti et Pierre, devenu un adulte, devait assumer son inconfort, ses gestes et ses paroles. Tout à son malaise, il n'attendait plus rien de cette soirée.

*

Aube avait bien failli partir dès le début de la cérémonie, avant même le service de l'entrée. Ce spectacle de gratification mutuelle entre gens bien-pensants l'ennuyait au plus haut point. Pendant les longs discours monotones, son esprit jonglait avec l'idée folle d'encaisser ses petites économies, de s'acheter un billet d'avion pour n'importe où et de prendre le large. Juste d'y penser, elle se sentait pousser des ailes.

Au lieu de ça, elle avait sagement recueilli les témoignages des convives et des vedettes présentes en prévision du reportage à livrer le lendemain pour l'édition de lundi. Après, elle s'était amusée, appréciant le vin et la compagnie de collègues journalistes particulièrement rigolos.

À un certain moment, toutefois, elle s'emmerda et décida de quitter l'endroit. Elle salua ses collègues à la volée et se retira. Même si Richard était parti, au moins la moitié des invités étaient encore là à bavarder sur fond de musique d'ambiance. Des yeux, elle fit le tour de la salle et aperçut, tout au fond, Pierre Desgroseillers, un verre à la main, discutant avec des gens. Elle hésita quelques secondes, puis se décida à aller le saluer avant de partir.

Pierre vit venir Aube de loin et ne prêta plus du tout attention à ses interlocuteurs, de lointaines connaissances dont il ignorait le nom. Poli, il s'excusa et vint à la rencontre de la jolie femme.

— Je dois partir, expliqua Aube, mais je voulais vous dire au revoir et surtout vous féliciter pour votre discours. Votre père avait l'air ému.

— Oui… Je pense, répondit Pierre, songeur. J'ai remué beaucoup de souvenirs douloureux… Je n'aurais peut-être pas dû.

— Ah oui ? Ça l'a ébranlé à ce point ?

— Enfin… C'est plus compliqué que ça.

Puis, d'un élan irréfléchi, il ajouta :

— Vous devez vraiment partir ? Il n'est même pas minuit. Ça vous dirait d'aller prendre un verre ailleurs ?

Aube, qui n'avait nulle part où aller, sauf chez elle, et que personne n'attendait, hésita quand même. Ce genre d'invitation n'avait rien d'innocent et elle pouvait déjà en prédire l'issue. Pierre lui plaisait beaucoup, mais elle s'était si souvent emballée pour des hommes qui lui plaisaient et avait si souvent eu mal qu'aujourd'hui, sa spontanéité se trouvait chaque fois ralentie par la peur.

La voyant hésiter, il insista :

— Un verre seulement, c'est promis.

— D'accord, si vous le promettez.

Pierre, trop heureux de quitter les lieux, se chargea d'aller chercher les manteaux au vestiaire. Dès qu'elle fut seule, Aube vit venir un homme d'allure banale, la jeune trentaine, vêtu d'un trench-coat beige et d'une casquette noire des Yankees de New York. Le regard fuyant, très nerveux, il s'adressa à elle sur un ton presque trop poli.

— Bonsoir, madame Desbiens. Félicitations pour votre reportage sur Richard Desgroseillers. Très beau travail. Toutefois, si je peux me permettre une critique, le portrait que vous en faites est très incomplet.

— Vraiment ? Qu'est-ce qui manque ?

— Vous ne vous êtes jamais demandé comment M. Desgroseillers et toute sa bande de la Fondation Dreaming s'y étaient pris pour faire bondir le montant des dons du public depuis trois ans ?

— …

— Je suis certain que si vous fouillez un peu plus de ce côté-là, vous allez trouver des choses qui susciteront beaucoup votre intérêt ainsi que celui de vos lecteurs. Ça vous donnera une image plus nuancée de M. Desgroseillers, mais peut-être moins angélique.

Aube demeura perplexe.

— Qu'est-ce que vous insinuez ? Vous avez des informations compromettantes sur Richard Desgroseillers ?

— C'est vous la journaliste. Faites votre enquête et jugez par vous-même si cet homme a des choses à se reprocher.

— Et vous ? Quel est votre nom ?

— Mon nom ne vous dirait rien.

— Dites-le quand même…

— Je regrette, je dois me sauver, dit simplement l'individu avant de tourner les talons et de disparaître par une porte de service.

Encore sous l'effet de la surprise, Aube se rua vers un petit groupe d'invités sur le point de partir et demanda si quelqu'un avait reconnu le type avec qui elle discutait, juste là, dix secondes plus tôt. Personne ne put l'aider.

Quand Pierre revint, il trouva Aube préoccupée. Elle hésita quelques instants, puis lui raconta ce qui venait de lui arriver, relatant mot pour mot sa conversation et décrivant les traits du jeune homme.

— Qu'est-ce qu'il a voulu dire ? demanda Aube.

— Je n'en sais rien, répondit Pierre, légèrement contrarié. C'est du salissage. Franchement, je m'étonne même que vous y accordiez de l'importance.

— Je n'y accorde pas tellement d'importance, mais avouez qu'il y a des questions à se poser. La Fondation Dreaming brasse tellement d'argent…

— Évidemment qu'il y a des questions à se poser, mais la réponse s'impose d'elle-même : mon père n'a rien à se reprocher, affirma Pierre, insulté. En tant que journaliste, je comprends que vous soyez constamment à l'affût de ce genre de nouvelle, mais mettre en doute l'honnêteté de mon père en raison des insinuations d'un quidam qui refuse de se nommer, ça fait…

— Ça fait quoi ? demanda Aube, déjà sur la défensive.

— Ça ne fait pas très professionnel.

Aube, froissée à son tour de se faire traiter de « non-professionnelle », devint cassante.

— Je n'ai jamais remis en cause l'honnêteté de votre père.

— Non, bien sûr, mais avouez que votre homme a semé un doute. Mon père est une cible facile et, dès la première fois que l'on s'est rencontrés, j'ai eu l'impression que vous cherchiez la petite bête noire.

— C'est ça, traitez-moi de fouille-merde, pendant que vous y êtes.

— Ce n'est pas ce que j'ai dit…

— Non, mais vous me prêtez beaucoup d'intentions. Savez-vous quoi ? Je trouve que cette conversation prend une drôle de tournure. Je pense que je vais rentrer. Je n'ai plus très envie de prendre un verre avec vous.

— Comme vous voulez.

Aube, en colère, quitta aussitôt la salle et Pierre ne put ni ne voulut rien faire pour la rattraper. Peu de temps après, il partit lui aussi et, malgré ses chaussures louées avec le smoking, il décida de revenir chez lui à pied.

Dehors, l'air lui fit le plus grand bien. Prenant vers l'est sur la rue Sherbrooke, il croisa une bande de jeunes fêtards déjà ivres. L'un d'eux s'esclaffa en le voyant dans son smoking et ses souliers vernis. « Hé ! Ho ! Le clown ! » lui lança le jeune insolent, provoquant ainsi l'hilarité de ses copains, qui se moquèrent à leur tour.

Un clown, voilà ce qu'il était. Un pauvre clown triste qui ne savait, dans la vie, que se rendre ridicule. Ce soir, il avait fait le pitre pour émouvoir la foule, s'acharnant en fait à humilier son père sans se rendre compte à quel point il s'humiliait lui-même. Il était minable et risible. Aube avait vu clair en lui, dès le départ. Elle avait eu raison de le planter là ce soir.

3

En revenant du banquet, la veille, Richard avait trouvé
la pharmacie déjà fermée et avait dû se contenter de ses
derniers comprimés, supposément antidouleur, mais qui
n'avaient à peu près aucun effet sur son mal. Il avait passé
l'une des pires nuits de sa vie. La douleur, son fils, ses vieux
remords et même Yves Fradette, tout s'était mis de la partie
pour le tenir bien éveillé, anxieux et tourmenté. Au lever
du jour, il parvint à dormir un peu, mais d'un sommeil
agité. Quand il se leva, Adeline était à la cuisine, le nez
rivé à son journal et faisant mine d'ignorer sa présence.

Depuis la veille, elle ruminait sa colère, mais Richard
n'avait rien vu. En sortant du *Ritz*, ils ne s'étaient pas parlé
et lui n'avait pas prêté attention aux états d'âme d'Adeline,
trop absorbé par les siens. Heureusement, depuis un bout
de temps déjà, elle dormait dans la « chambre d'amis ». Au
matin, toutefois, il ne put ignorer ses soupirs sonores et
son air renfrogné.

Elle tournait frénétiquement les pages du journal,
sans même lire les titres, et n'attendait que le premier

commentaire de Richard pour pouvoir riposter à bras raccourcis. Richard, connaissant la manœuvre, resta muet. Il venait se chercher un café dans l'espoir d'aller ensuite se barricader dans son bureau. Devant son silence, Adeline se chargea elle-même d'envoyer la première salve.

— Comment t'as trouvé ta soirée ? demanda-t-elle sur un ton lourd de sous-entendus.

— J'ai pas envie d'en parler.

— Moi, si tu veux le savoir, j'ai détesté ça. Et le mot est faible.

— Adeline, pas ce matin. J'ai pas dormi de la nuit. J'ai mal à l'épaule, à la tête, partout. S'il te plaît…

— Je veux quand même te dire que je déteste avoir l'air d'une potiche. Que ton fils se lance dans un éloge à sa mère pour t'emmerder, c'est vos affaires, mais que toi, tout ce que tu trouves à dire sur moi, c'est « Merci, Adeline », je trouve ça *cheap*. Après tout ce que j'ai fait pour toi, il me semble que je méritais plus. Surtout après le discours de Pierre, ça ne t'aurait pas arraché la langue.

— Ok, je m'excuse. J'ai manqué à tous mes devoirs. C'est correct ? Je peux m'en aller ? demanda Richard, sarcastique.

— On sait bien. Ton fils t'a fait un coup, il n'y a plus rien d'autre d'important ! Pourquoi tu lui accordes tant d'importance ? Ton fils te déteste ! Tu le vois bien ? T'en as eu la preuve hier.

« Ben oui, ben oui », dit-il pour lui-même en sortant de la cuisine avec une tasse à la main. Dans son bureau, il verrouilla la porte et alla s'échouer dans sa chaise capitonnée. Richard était dans un piètre état. Il se passait quelque chose en lui, quelque chose de grave, il le sentait bien. Ce n'était pas ordinaire, ce mal.

Il téléphona à Yvan Ravel, lui demandant de venir le plus vite possible. « Apporte des pilules, s'il te plaît. » Une heure plus tard, le médecin se présenta à la maison.

Yvan proposa de s'installer dans la salle d'entraîne-ment. Le Dr Ravel était passé par la pharmacie avant de venir et Richard prit le comprimé qu'il lui avait prescrit. Richard retira sa robe de chambre et, en pyjama, monta sur le pèse-personne dans le coin de la salle.

— T'as perdu près d'un kilo depuis le mois dernier, annonça le médecin.

Il l'ausculta et prit sa pression.

— Tu t'entraînes encore beaucoup? demanda-t-il. Tu sais, à ton âge, les poids et haltères, faut y aller doucement.

— J'ai complètement arrêté les poids et haltères. Malgré ça, les douleurs empirent depuis quelques jours.

Yvan Ravel palpa attentivement l'épaule de Richard et demeura songeur pendant un long moment.

— Qu'est-ce que j'ai? demanda Richard.

— Faut voir. On va te faire passer un *scan* de l'épaule, mais avant, j'aimerais que tu passes un test sanguin.

— Un test sanguin? Pour un mal d'épaule? J'aimerais mieux passer le *scan* avant. J'ai mal, ça n'a pas d'allure.

— Mais de quoi je me mêle? C'est moi le docteur, rétorqua Yvan, fermé à toute discussion. Fais ce que je te dis, dès demain. On verra ensuite.

Pendant que Richard remettait sa chemise de pyjama, Yvan demanda sur un ton anodin:

— T'as pas eu de nouvelles de Pierre?

— Tu commences vraiment à me pomper l'air avec Pierre. Je m'en balance de Pierre.

— Je ne te crois pas! s'insurgea Yvan Ravel. Et toi non plus, tu ne te crois pas. C'est ton secret qui te mine, mon pauvre Richard. Parle à ton fils. Dis-lui ce qui s'est vrai-ment passé avec Francine. Sinon, il va t'en vouloir pour le restant de ses jours. Tu lui dois bien ça.

Richard ne répondit pas, mais il considérait qu'il ne devait rien à son fils. Pierre avait déclenché la guerre, à lui de proposer la paix.

*

Pierre se leva aussi maussade et gris que ce petit dimanche matin pluvieux. Sa soirée de la veille l'obsédait. Pour se sortir de sa léthargie, il décida de se rendre à l'atelier. En général, le fait de s'occuper les mains lui permettait de se vider la tête. Cette fois-ci, ça ne fonctionna qu'à moitié. Le souvenir d'Aube lui revenait sans cesse. Il la revoyait, si belle, mais plantée là, au beau milieu de la salle, ne comprenant pas ce qui lui arrivait. Il s'était comporté comme un crétin. Pourquoi s'était-il senti obligé de défendre son père, alors que lui-même l'accusait de tricher ? « Pierre, t'es dur à suivre parfois », se dit-il.

Penché sur sa sculpture, il jouait du chalumeau, mais le cœur n'y était pas. Tout à sa rumination, il abdiqua et rentra chez lui, bien décidé à s'écraser devant la télé jusqu'à l'heure du coucher. Reprenant ses effets dans son casier, il constata qu'un message attendait dans sa boîte vocale. D'abord excité en pensant que ça pouvait être Aube, il angoissa aussitôt à l'idée que c'était peut-être son père. Il écouta fébrilement et fut à la fois déçu et soulagé. C'était Jason.

— *Hi, Dad !* Je voulais te féliciter pour ton *speech*, c'était super bon. Grand-p'pa était ému, ça se voyait. Je suis content de voir que ça va mieux entre vous deux. Ça fait du bien. En tout cas… Je suis content. Je voulais te rappeler aussi que ma collation des grades est dans un mois, à Kingston. Si tu décides de venir, faudrait me le dire vite pour que je te réserve une place. Appelle ou texte-moi. Bye !

En effaçant le message, Pierre se traita de tous les noms. Même son fils était dupe de sa tricherie.

*

Dès qu'elle ouvrit l'œil, Aube se remémora d'un bloc sa soirée de la veille. Un événement somme toute banal, n'eût été la présence de Pierre. Autant il s'était montré aimable en début de soirée, autant il s'était comporté comme un monstre à la fin. Le message avait l'avantage d'être clair : DANGER ! Pierre était beau et charmant. Il avait tout pour lui plaire, mais elle se méfiait des girouettes qui changent d'humeur sans crier gare. Ils ne s'étaient vus que deux fois, mais les deux rencontres s'étaient mal terminées. *Out* Pierre Desgroseillers !

Elle chassa son souvenir en se concentrant sur la question qui la turlupinait : les dons à la Fondation Dreaming avaient-ils à ce point augmenté et flottait-il vraiment autour de Richard Desgroseillers une odeur de scandale, comme l'avait laissé entendre l'homme au trench beige ?

Elle se leva de son lit d'un bond et, quelques minutes plus tard, elle s'installa à table. Tout en déjeunant, elle commença sa recherche. Elle trouva d'abord le site officiel de la Fondation.

« La Fondation Dreaming Québec pour les enfants malades (FDQ), fondée en 1997, est affiliée à l'organisation internationale Global Dreaming for Sick Children. La Fondation s'est donné pour mission de recueillir des fonds destinés à soutenir la recherche pour vaincre les maladies infantiles. Depuis sa création, la Fondation a pris part au financement d'environ trois cents projets menés par des centres de recherche privés ou par des universités québécoises… »

Aube explora le site et démarra une vidéo mettant en vedette Richard Desgroseillers.

« Mes chers amis, bonjour. Depuis cette époque lointaine où j'étais moi-même un enfant, le monde a bien changé. Les progrès de la science nous ont permis de vivre plus vieux et en meilleure santé. Toutefois, trop d'enfants sont encore victimes de maladies physiques, mentales ou cognitives qui hypothèquent leur avenir, quand elles n'abrègent pas tout simplement leurs jours. La mort d'un enfant demeure la chose la plus révoltante que l'on puisse imaginer. Ayant moi-même vécu le deuil d'un petit-fils, je sais toute la douleur qu'une telle perte provoque. C'est pourquoi la Fondation Dreaming Québec pour les enfants malades redouble d'efforts, chaque année, pour recueillir vos dons afin de poursuivre sa lutte contre les maladies infantiles… »

Et la vidéo continuait ainsi, Richard invitant les entreprises à s'associer à la Fondation Dreaming en organisant des activités de collectes de fonds. Il annonçait également une grande tournée des résidences pour retraités et des associations de bienfaisance partout au Québec pour stimuler la générosité du public.

Aube poursuivit son exploration et s'attarda à la section « Rapports annuels ». Elle compara les chiffres des bilans financiers de 2007 à 2012 et constata qu'en effet, à partir de 2009, les dons du public augmentaient en flèche, passant de 7 à 11 millions de dollars en trois ans. Les initiatives de Richard pouvaient-elles expliquer une augmentation aussi spectaculaire ?

En comparant ces chiffres avec ceux d'organismes du même genre, Aube découvrit que les performances de la Fondation Dreaming dépassaient, et de beaucoup, celles des autres. Comment ce fossé pouvait-il s'expliquer ? Trop de questions demeuraient sans réponse et, loin de s'éclaircir, le mystère s'embrouillait.

Lundi matin, Aube arriva très tôt au journal dans l'espoir de rencontrer Rémi Bouchard, son rédacteur en chef, avant que la frénésie de la journée ne s'installe. Elle le vit entrer et s'installer à son bureau, à l'autre extrémité de la salle. Quand il se dirigea vers la machine à café, elle le rejoignit, l'air de rien.

— Salut, Rémi, chantonna-t-elle.

— Allo. T'es de bonne heure à matin. Ça s'est bien passé, le banquet du Panthéon ? Sa « Majesté » Desgroseillers était content? J'ai vu les photos. Il y avait de la vedette là!

— Oui, belle soirée, mais tu ne devineras pas ce qui m'est arrivé, lança-t-elle pour piquer la curiosité de Rémi. Je me suis fait aborder par un mystérieux informateur. C'était la première fois de ma vie.

En quelques phrases, elle résuma sa conversation avec l'homme au trench-coat et ses accusations de magouilles à peine voilées. Après son récit, elle conclut en demandant candidement:

— Qu'est-ce que je fais avec ça?

— Rien. Tu ne fais rien.

— J'ai fait une petite recherche hier, pour le *fun*. L'augmentation des dons est spectaculaire. Beaucoup plus que la moyenne, j'ai comparé. C'est quand même intrigant, tu ne trouves pas?

— Peut-être, mais ça ne veut pas dire qu'il y a des magouilles. Si tu avais l'intention de me proposer un reportage d'enquête, oublie ça. T'as entendu des insinuations malveillantes d'un individu louche qui refuse de se nommer. Il n'y a rien à faire avec ça.

Aube ne s'attendait pas à une autre réponse de la part de Rémi. Elle comprenait ses arguments et n'avait pas l'intention de pousser plus loin. Malgré cela, elle devait quand même admettre que cet individu, si louche soit-il, avait semé un doute dans son esprit.

*

Les nouvelles pilules de Richard faisaient des merveilles. Un comprimé aux douze heures et c'en était fait de la douleur. Richard se faisait donc une joie de venir à sa traditionnelle partie de poker. Depuis des décennies, le deuxième mardi du mois, il retrouvait Raymond Trudel, son cousin, et trois vieux amis de collège. Aujourd'hui tous retraités, ils se rassemblaient chaque mois pour se donner l'illusion de remonter le temps. Cinq petits vieux qui se préoccupaient de leur pression artérielle et de leur taux de cholestérol, mais qui, une fois par mois, envoyaient valser leurs principes et abusaient à cœur joie de viandes grasses, d'alcool et de tabac. Richard revoyait toujours ses chums avec plaisir.

Au sous-sol, chez Bédard, où se tenait la partie, il dévora d'abord le *gros smoked* meat bien gras, avec la frite et le Cherry Coke, que Lachapelle achetait directement chez *Schwartz's* en s'en venant. Ça gargotait à qui mieux mieux et ça rotait, et tout le monde était content.

Après ce festin, il prit place à la table de jeu où, comme les autres, il alluma son cigare, un Montecristo n° 5, et prit une première gorgée de scotch, un Lagavulin de seize ans, qu'il fit rouler sur sa langue, les yeux fermés, savourant les arômes d'orge fumée qui se mariaient à merveille aux accents terreux de son cigare.

Après son week-end éprouvant, il se sentait revivre. Tout ce qui manquait à son bonheur était une *full* ou une *straight*. Il obtint un carré de huit et remporta la première cagnotte de 25 dollars. La soirée s'annonçait bonne.

Richard termina son premier verre et laissa volontiers son ami Chaput lui en servir un deuxième. Qui lui permit de se hisser sur un petit nuage. Tout autour prenait une agréable distance, ses inquiétudes fondaient. Pierre était redevenu le cadet de ses soucis, Adeline aussi d'ailleurs. Il y avait longtemps qu'il ne s'était pas senti aussi léger.

Comble de ravissement, il remporta encore deux fois la mise. Décidément, c'était sa soirée. Pour fêter ça, il attrapa la bouteille de scotch, resservit ceux dont le verre était vide et se versa lui-même un troisième verre.

Convaincu maintenant d'être imbattable, Richard força le jeu. Dans une tentative de bluff ratée, il perdit d'un coup 100 dollars. Sa chance l'avait-elle abandonné ? Pour se redonner confiance, il tira une bouffée de son cigare, qu'il expira bruyamment dans l'air déjà embrumé du sous-sol.

Son état d'euphorie s'estompait. Il avala d'une traite la dernière moitié de son troisième verre, dans l'espoir de raviver son plaisir, mais plutôt que de retrouver sa légèreté, il sentit une lourdeur s'installer dans sa nuque. Il sortit prendre l'air dans le jardin. Au bout de longues minutes, Raymond vint le rejoindre.

— Ça va?

— Oui, oui. C'est le *smoked meat* qui ne passe pas.

En fait, ça n'allait pas du tout. Richard sentait battre ses tempes et des gouttes de sueur perlaient sur son visage devenu pâle. À un certain moment, il sut qu'il n'y échapperait pas. Laissant Raymond au jardin, il revint à l'intérieur, s'enferma dans les toilettes et vomit bruyamment. Quelques minutes plus tard, il ressortit, livide et chancelant.

— Maudit *smoked meat*!

— Je vais aller te reconduire, dit Raymond.

— Mon char…

— On reviendra demain.

Richard suivit docilement Raymond. En sortant de la voiture, devant chez lui, il refusa toutefois son aide. Adeline, qui l'entendit arriver, s'étonna de le voir rentrer à 20 h 30.

— Qu'est-ce que tu as? T'es malade?

— C'est juste une indigestion, précisa Richard, encore nauséeux.

Raymond l'aida à se déshabiller et lui donna son comprimé. Comme il allait se mettre au lit, Richard constata qu'Yvan Ravel l'avait appelé, mais n'avait pas laissé de message. C'était mauvais signe, mais il ne tenta pas de le rappeler. Les mauvaises nouvelles pouvaient attendre.

*

Mercredi matin, Pierre, cravaté et fraîchement rasé, assistait à une réunion d'un groupe de travail à l'appellation aussi vague que son mandat, le Sous-comité de conception et d'évaluation des outils de mesure de l'impact des initiatives locales sur la population.

Au cours de cette réunion, il concentra toute son attention sur des questions purement théoriques, auxquelles un comité avait déjà formulé des réponses purement hypothétiques. Le sous-comité devait concevoir des outils pour mesurer de façon spéculative l'impact potentiel d'initiatives locales hypothétiques et évaluer leur efficacité théorique sur la population. Exactement ce dont il avait besoin présentement. Au bout de quelques minutes, ce verbiage de fonctionnaire, dénué de sens et d'émotion, devint un mantra. Pierre atteignit alors une sorte d'état méditatif. Sa bouche parlait, son corps bougeait, mais lui était ailleurs.

Hors du local, ce semblant de paix d'esprit ne dura pas. Pour la énième fois cette semaine, il repensa à Aube. Il n'arrivait toujours pas à se pardonner son attitude et, plus le temps passait, plus il ressentait le besoin de l'appeler, de s'excuser et de tenter de réparer les pots cassés, encore une fois. Les quelques minutes qu'ils avaient passées ensemble lui revenaient constamment en tête. Il s'était immédiatement senti très bien avec elle. Si la suite des événements ne l'avait pas fait déraper, l'issue de la soirée aurait été bien différente.

Depuis, à trois ou quatre reprises, il avait saisi son téléphone, mais retenu chaque fois son élan. Elle l'avait probablement déjà catégorisé parmi les imbéciles et, en l'appelant, il s'exposait à un refus et peut-être même à un chapelet de bêtises.

En fin de journée, il se décida finalement à laisser son orgueil de côté. Il prit son téléphone et appuya sur l'icône « Messages ». Dans ses contacts, il sélectionna « Aube Desbiens » et tapa rapidement sur le clavier : « Connais-tu l'histoire du gars qui a fait un fou de lui l'autre soir ? »

*

En se levant, Richard appela Yvan Ravel, qui lui demanda de passer à la clinique. Richard se retrouva peu après assis dans le petit cabinet, nerveux et s'attendant au pire.

— J'ai tes résultats.

— C'est pas bon, n'est-ce pas?

— Non, pas trop. On a trouvé des métastases dans ton sang. Ça veut dire que le cancer est revenu.

Richard ne fut qu'à moitié surpris et ne broncha pas en entendant la nouvelle.

— Si ce que je pense est vrai, t'as probablement un cancer des os. Ça arrive parfois chez les hommes qui ont combattu un cancer de la prostate. Ça expliquerait tes douleurs à l'épaule, mais pour en être certain, il faudrait faire une biopsie.

— Une biopsie? Est-ce que c'est vraiment nécessaire?

— Ça permettrait d'évaluer à quel stade en est la maladie et de décider quoi faire.

— Je ne suis pas certain d'avoir envie de faire quelque chose, mais si tu penses que ce serait utile…

— Je vais demander qu'on t'obtienne un rendez-vous.

— Yvan, je te demande une seule chose. Je ne veux pas avoir mal. Je ne veux plus passer une autre nuit d'enfer comme en fin de semaine dernière.

*

Bien qu'elle ait voulu balayer du revers de la main le souvenir de Pierre, Aube avait souvent repensé à lui depuis dimanche. Sans vouloir se l'avouer, elle avait espéré un signe de sa part, mais plus le temps passait, plus elle doutait d'avoir de ses nouvelles. C'était peut-être mieux ainsi, au fond. Elle avait déjà trop donné aux grands ténébreux séduisants, mais empêtrés dans leurs vieilles histoires. Les leçons du passé l'avaient rendue plus sage... et un peu plus triste.

Elle se préparait à rentrer chez elle, à moins qu'elle se rende au cinéma pour voir un film. Rien ni personne ne l'attendait. En prenant son sac, elle entendit la sonnerie de son téléphone annonçant l'arrivée d'un texto. Elle devint immédiatement fébrile en voyant le nom de Pierre. Malgré la belle sagesse dont elle s'était félicitée quelques minutes plus tôt, son cœur se mit à battre la chamade et elle dut se rasseoir pour lire.

« Connais-tu l'histoire du gars qui a fait un fou de lui l'autre soir ? »

« Oui, tu me l'as racontée samedi », répondit-elle du tac au tac.

« Pis ? »

« Elle est plate. Le gars fait tellement un fou de lui que la fille le plante là. »

« Je sais. Mais je l'ai retravaillée : la fille le plante là, mais le gars repense à tout ça et se trouve vraiment très niaiseux. Alors il la rappelle pour s'excuser et l'inviter à prendre un verre. »

« Qu'est-ce qu'elle a répondu ? »

« Ouiiiii. »

« Une fille facile... »

« Faut ben, lui est tellement épais. »

« Mêlé dans sa tête plutôt. C'est pire. »

« Qu'est-ce qu'elle devrait répondre, selon toi ? »

« Elle ferait mieux de dire non... »

Aube attendit la réponse à son dernier message, mais elle reçut plutôt un appel téléphonique de Pierre.

— Moi, je pense vraiment qu'elle devrait dire oui, affirma Pierre, sans autre forme d'introduction. Sinon, il n'y a pas de *punch*. Laisse-moi me reprendre. Je te le jure, tu vas rire...

*

Aube avait décidé de parcourir à pied la distance entre le journal et le bar où Pierre lui avait donné rendez-vous, en face de l'édifice Chaussegros-de-Léry. Pendant tout le trajet, elle n'avait cessé de se demander pourquoi elle avait accepté ce rendez-vous. La réponse à cette question était simple, il lui avait dit : «Je te le jure, tu vas rire.» Voilà pourquoi elle avait accepté. Son cœur s'était emballé, mais sa tête lui avait ramené le souvenir des douleurs passées. «Je te le jure, tu vas rire», ça ne voulait pas dire : «Je te le jure, t'auras pas mal.» Les signes étaient pourtant clairs, mais Aube acceptait de les ignorer.

Dix minutes plus tard, elle pénétra dans le bar et s'installa au comptoir, près d'une fenêtre d'où elle voyait les clients entrer. Elle commanda un verre de vin blanc et en but une première gorgée. C'est à ce moment qu'elle vit Pierre venir de loin. Vêtu simplement d'un jean, d'une chemise et d'un veston sport gris souris, il traversa la rue d'un pas rapide, les mains dans les poches et son sac en bandoulière. Peut-être qu'à cet instant précis, elle aurait dû fuir par une autre porte. Sans doute était-ce sa dernière chance de sauver sa peau, mais elle en fut incapable. Pas avant d'avoir croqué dans le fruit sucré et juteux du désir, juste une petite fois, ce soir seulement.

Quand il la rejoignit dans le bar, Aube retrouva l'homme pour qui elle avait flanché l'autre soir. Pierre le séducteur, à la voix chaude et au regard intense. Ils se saluèrent un peu timidement en se serrant la main et se faisant la bise. Tout en échangeant quelques banalités sur leur journée, Pierre fit signe au serveur et commanda une bière. Une fois servi, il proposa un toast :

— À nous !

Sans se demander ce que signifiaient pour lui ces mots, Aube trinqua :

— À nous !

— Je veux régler quelque chose tout de suite, déclara Pierre d'un ton plus posé. Je souhaite vraiment m'excuser pour l'autre soir. J'ai agi comme un imbécile. Je pense que j'avais un peu trop bu. Je te demande pardon.

— Ouais… J'accepte tes excuses, dit-elle en lui adressant un sourire engageant, mais je veux comprendre ce qu'il s'est passé.

— Je te l'ai dit, ma relation avec mon père n'est pas très bonne. Mon discours au banquet, c'était de l'ironie. Mon père s'est comporté comme un parfait salaud avec ma mère. Aujourd'hui, il se sent coupable et j'ai décidé de tourner le fer dans la plaie. C'était ma façon de lui remettre ses contradictions en pleine face. Il veut tellement qu'on parle de lui toujours en bien, je voulais lui montrer jusqu'où ça pouvait aller.

— Devant une salle de cent cinquante personnes ? s'exclama Aube, médusée.

— Je sais, c'est dur, avoua Pierre, un peu confondu par la réaction d'Aube, mais il fallait que ça se passe ce soir-là, au moment où tout le monde vantait sa grande compassion et son dévouement. J'ai voulu lui rappeler que ce n'était pas si vrai.

— T'as touché la cible en tout cas. Il avait l'air ébranlé.

— Oui, ça m'a même un peu fait peur, mais connaissant mon père, je me suis rappelé plus tard qu'il fallait en prendre et en laisser. Il aime ça, paraître ému. Une chose est certaine, je lui ai gâché sa soirée.

— Et la tienne aussi, ajouta Aube après un bref silence.

Pierre encaissa la remarque et la pointe de sarcasme dans la voix.

— On ne peut pas dire que tu mets des gants blancs, toi.

— Excuse-moi, mais avoue que j'ai raison.

— J'avais pensé que ça me ferait du bien de crever l'abcès, mais peut-être que j'ai mal mesuré l'influence qu'il a encore sur moi. À quarante-cinq ans, je me suis senti redevenir un petit gars angoissé parce qu'il a dit des gros mots et que son père est fâché, fâché.

— Et qu'est-ce que tout ça a à voir avec moi ?

— Tu vas trouver que je me contredis, mais quand tu m'as répété les accusations lancées par ton homme au trench-coat, j'ai tout de suite senti le besoin de défendre mon père. J'ai beau le trouver malhonnête dans ses relations avec les autres, je suis certain que ce n'est pas un crosseur.

— Je suis désolée, répondit-elle.

Aube se garda bien d'ajouter quoi que ce soit de peur d'être obligée de mentir ou, pire, d'avouer qu'elle avait fait des recherches sur Dreaming qui avaient renforcé ses soupçons. Ne voulant pas risquer de compromettre la soirée, elle dévia habilement la conversation.

— Et là, tu as réfléchi, tu t'es trouvé nono et t'as décidé de me rappeler... Quelle bonne idée ! Je suis très contente que tu l'aies fait. J'avais hâte de te revoir.

— Je m'en serais voulu de ne pas le faire, avoua Pierre.

Le regard rivé au sien, elle le vit s'approcher et sentit sur ses lèvres entrouvertes la chaleur de son souffle. Fermant les yeux, elle se tendit vers lui tout entière. Ce premier baiser, doux, intense, eut sur elle comme sur lui le même effet foudroyant. Mal à l'aise sur leurs tabourets et appuyés au comptoir, ils sentirent tout de même entre eux et partout autour d'eux un flot de désir circulant librement.

— As-tu faim ?

— Très.

*

Le souper, un peu comme une formalité, fut expédié rapidement. L'appétit qui les tenaillait était d'une autre nature. Ils avaient faim l'un de l'autre et, à force de grignoter des baisers, ils avaient hâte au festin. En terminant son verre de vin, Pierre invita Aube à prendre un dernier verre chez lui.

— À 7 h 15 ? Un dernier verre ? Il fait même pas noir, répondit-elle, moqueuse.

— Ouais, bon… un avant-dernier verre, alors.

Le taxi qui les amenait chez lui s'engagea dans le quartier perdu où il habitait et les déposa devant une maison sur un minuscule tronçon de la rue Waverly, entre Beaumont et Marconi, au beau milieu d'un *no man's land*.

De l'extérieur, la maison ne payait pas de mine, mais l'intérieur avait été refait en entier. C'était un vrai appartement de gars, la décoration laissait à désirer.

— Qu'est-ce que tu bois ? demanda Pierre de la cuisine.

— Du vin blanc, si t'en as.

Il avait non seulement du vin blanc, mais du rouge aussi, et de la bière, et du scotch, et de la vodka, et du gin… Il avait aussi de l'eau pétillante, de l'eau plate et, juste au cas où, du jus, des œufs, des croissants et des petites confitures de fantaisie. On n'est jamais trop prudent.

Pierre passa par la chambre à coucher, où il alluma quelques chandelles, avant de revenir au salon, apportant à Aube son verre de blanc et la bière qu'il s'était servie. Dès qu'ils furent ensemble dans la même pièce, le courant se rétablit, encore plus puissant.

Pierre déposa son verre, enlaça Aube en la plaquant contre lui et l'embrassa fougueusement. Debout au milieu de la pièce, elle sentit rapidement renaître son désir. Elle entreprit alors de déboutonner la chemise de Pierre, tout en l'empêchant de faire de même. « Laisse-toi faire », lui chuchota-t-elle à l'oreille. Par-dessus son pantalon, elle tâta son sexe qui durcissait déjà. Débouclant sa ceinture, elle dégrafa l'attache et baissa la fermeture éclair. Les yeux braqués sur les siens, elle insinua lentement sa main dans son slip, empoigna son sexe dur et frémissant et le comprima de ses doigts fins.

Pierre, d'abord étonné par l'audace, s'abandonna rapidement au plaisir que lui procurait cette caresse indécente. Quand elle le sentit s'abandonner complètement et goûter sans retenue les sensations délicieuses qu'elle lui donnait, Aube fut satisfaite. Affichant un sourire triomphant, elle retira sa main et fit un pas vers l'arrière. L'air innocent, elle reprit son verre et avala une gorgée.

— Qu'est-ce qu'il y a ? demanda-t-il, éberlué.

— C'est ma vengeance pour l'autre soir, claironna-t-elle. C'est ça que ça fait de se faire plaquer là, juste au moment où ça devient vraiment le *fun*... Comme ça, on est quittes, dit-elle en éclatant de rire.

À moitié déculotté au milieu du salon, Pierre ne put échapper au ridicule de la situation et accepta la moquerie avec philosophie.

— Tu vois. Je t'avais juré que tu rirais.

— J'en ai jamais douté, répondit-elle dans un soupir et en se blottissant de nouveau contre lui pour l'embrasser à pleine bouche.

Pierre amena Aube jusqu'à la chambre. À son tour, il déboutonna maladroitement son chemisier en cherchant à atteindre sa peau. Elle retira elle-même son vêtement et, d'un geste large, mais rapide, elle enleva la délicate camisole de soie qu'elle portait dessous, dévoilant le haut de son corps. L'attirant contre lui, Pierre sentit sur son torse ses seins nus. Sans interrompre son baiser, il la déshabilla complètement et s'arrêta un moment pour admirer son corps, teinté du reflet doré des chandelles. Il n'avait plus assez de ses yeux pour voir, plus assez de ses mains. Il ne pouvait dire ce qu'il ressentait. Peut-être était-ce de la joie ? Non, c'était plus que ça.

Aube termina à son tour de déshabiller Pierre. Haletante, elle sentit sur sa cuisse frémir sa queue bandée. Elle empoigna le membre brûlant, anticipant avec volupté le moment où il allait la prendre, étendue sur le grand lit.

Pierre, caressant son sein gauche, titillait habilement son mamelon, tantôt du bout de la langue, tantôt à pleine bouche. Sa main libre se fraya un chemin entre ses cuisses. Elle ouvrit largement ses jolies jambes fuselées et, avec un éclat de lubricité dans l'œil, s'exhiba sans pudeur. En se redressant un peu, Pierre put contempler son sexe luisant et même sentir son parfum musqué, qui allait le rendre fou. Aube, au comble de l'excitation, appelait de ses hanches le sexe dressé de son amant, mais Pierre résistait à l'invite.

À l'excitation se mêlait maintenant l'urgence. Elle le voulait de toutes ses forces, mais lui, malicieux, prolongeait son tourment. Dans un mouvement impétueux, Aube se cabra toutefois et reprit le dessus. Pierre n'offrit aucune résistance. Elle le plaqua sur le dos et l'enfourcha avec autorité. Empoignant de nouveau son membre rigide, elle le pétrit savamment en plantant son regard dans le sien, un sourire de bravade sur les lèvres. Puis, de ses doigts délicats, elle guida le gland de son amant sur les lèvres de son sexe et, le souffle court, le fit glisser en elle. Les yeux mi-clos, elle savoura chaque moment de cette lente progression. Quand elle le sentit bien en elle, elle marqua une pause avant d'amorcer un habile roulement du bassin.

Aube imposa le rythme et Pierre savourait avec délectation chacune de ses poussées, retenant parfois son souffle pour mieux sentir le plaisir se former et grandir. Un plaisir qui devint si intense qu'il se sentit parvenir trop vite à l'orgasme. Aube le perçut juste à temps et demeura immobile quelques secondes, avant de reprendre son mouvement. Pierre résista vaillamment jusqu'à ce qu'Aube accède, elle aussi, au seuil de la jouissance. Vibrant à la même énergie, ils sentirent ensemble déferler le plaisir, d'abord comme des secousses répercutées dans chaque parcelle de leur être, qui se transformèrent en longues vagues puissantes.

Comme les rescapés d'une formidable tempête, leurs corps échoués dans le grand lit revenaient de loin et se remettaient lentement. Illuminés d'eux-mêmes, les deux amants prirent conscience du « nirvana » où ils s'étaient élevés et n'avaient désormais qu'un seul désir : y retourner, encore et toujours. C'est à ce moment précis que la foudre porta son grand coup.

*

Depuis la soirée de poker, Adeline évitait Richard. Elle partait au travail tôt et ne revenait que tard en soirée. Le même manège s'était reproduit le restant de la semaine, mais Richard n'avait pas protesté.

Samedi matin, alors qu'elle se préparait à travailler dans le jardin, ce qui dénotait toujours un état d'esprit favorable, il l'aborda.

— Écoute, on n'a pas eu la chance de se reparler, mais je voudrais m'excuser pour tout ce qui est arrivé cette semaine. Je passe un bout *rough*. Je n'ai pas été correct avec toi. Mais là, ça va mieux.

Adeline fut d'emblée convaincue des bonnes intentions de Richard, qui s'excusait sincèrement.

— Merci, répondit-elle, encore un peu distante, mais disposée à se laisser prendre dans les bras de son mari.

Elle l'entoura des siens. Porté par l'émotion du moment, Richard embrassa sa femme.

— Il faut aussi que je te dise quelque chose… J'ai su cette semaine que le cancer était réapparu. Je passe un test la semaine prochaine, mais je le sais déjà au fond de moi. Mon mal d'épaule, Yvan pense que c'est le cancer des os.

Adeline accusa le coup. Elle n'était pas amoureuse de cet homme, mais ne lui voulait que du bien. Comme s'il s'agissait d'un bon ami, elle l'enserra de ses bras et dit simplement :

— Je suis vraiment désolée, Richard. Vraiment désolée.

Elle chercha des questions à poser ou quelque chose d'utile à dire, mais rien ne lui vint à l'esprit. Elle demanda seulement, l'air un peu triste :

— Qu'est-ce que tu vas faire ?

— Rien. Je n'en aurai pas la force. Je ne vais pas me battre. C'est un cancer très douloureux. Il m'a déjà prescrit des antidouleurs et il m'a assuré que je n'aurai pas mal.

— On va te trouver une bonne place, tu vas voir, tu vas être bien, dit Adeline sur un ton chaleureux et rassurant.

— Non. Je n'ai pas envie de partir. Je veux mourir ici, dans mes affaires.

— Ici, dans la maison ? Tu n'aimerais pas mieux te retrouver dans un centre où il y a tout, des médecins, des infirmières, des préposés ?

— Je vais mourir, Adeline, je n'ai plus besoin de médecin ! J'ai seulement besoin de morphine. Pour le reste, je vais réengager Barbara, elle a été parfaite la première fois. C'est elle qui va s'occuper de tout, tu n'auras rien à faire. Promis.

Bien sûr qu'elle n'aurait rien à faire, il serait impossible de faire quoi que ce soit. Difficile d'imaginer recevoir des gens avec Richard à l'agonie dans la chambre à côté. Le simple fait de relaxer dans le grand bain de leur chambre lui paraissait improbable. Non, vraiment, se dit Adeline, Richard venait, l'air de rien, de lui signifier son congé.

*

Aube fut la première à ouvrir l'œil après une trop courte nuit. À peine reposée, elle jongla avec l'idée de partir avant que Pierre ne se réveille. Ce ne serait pas la première fois qu'elle se sauverait discrètement de chez un amant de passage, les souliers à la main pour ne pas faire de bruit. Mais cette fois-ci était différente. Pierre n'était pas un amant de passage et elle avait plus peur de partir que de rester. Il exerçait sur elle un attrait aussi vertigineux que le vide au bord d'une falaise. Elle se tenait là, le cœur offert, prête à s'envoler, mais terrorisée à l'idée de tomber.

Quand Pierre ouvrit l'œil à son tour, il la surprit en train de le regarder dormir. Elle lui sourit. Il se pressa contre son corps chaud. Elle lui ouvrit les bras et ils refirent l'amour, comme ça, en guise de réveille-matin.

Après quoi, encore tout imprégnés des odeurs de l'autre et saturés de sensations nouvelles, ils préparèrent le petit déjeuner, un peu mal à l'aise de se retrouver ainsi, dans la lumière du matin. C'était une chose de rester pour la nuit, mais c'en était une autre de passer la journée suivante ensemble. Aube brisa la glace.

— As-tu des plans pour la journée ? demanda-t-elle innocemment.

— Non, j'ai tout mon temps, répondit Pierre, trop heureux qu'elle le demande.

— Me ferais-tu visiter ton atelier ? J'aimerais beaucoup voir tes œuvres.

— Je ne sais pas, répondit Pierre, un peu hésitant. Je n'ai pas grand-chose à te montrer. Une douzaine de sculptures, mes premières… mes seules.

— Mais si t'es mal à l'aise, on oublie ça.

— Non. C'est ridicule, il n'y a pas de raison.

— Pourquoi t'as si peur ?

— Ce n'est pas vraiment de la peur, mais on dirait que chaque fois que je me replonge dans cette période de ma vie, c'est comme si je rouvrais une plaie encore très sensible.

— Laissons faire, dans ce cas-là. Je ne veux pas t'y obliger.

— Non, je vais te les montrer. Je le veux.

— T'es certain ?

— Oui, oui, certain.

— Alors, allons-y maintenant, proposa Aube, enthousiaste.

Ils se mirent en mouvement. Aube, la première, prit une douche rapide et Pierre offrit de lui prêter une de ses chemises de travail, plus adéquate qu'un chemisier en soie pour visiter l'atelier. Elle accepta et revêtit la chemise directement sur son corps nu en faisant mine d'ignorer Pierre qui l'observait du coin de l'œil. Quelques minutes plus tard, Pierre s'habilla d'un grand chandail un peu effiloché aux manches et d'un vieux jean informe. Aube dut admettre qu'il n'était pas beaucoup plus exubérant en artiste qu'en fonctionnaire, mais elle le trouva infiniment plus lumineux.

En sortant de la maison, ils marchèrent quelques minutes et s'engagèrent dans le cul-de-sac au fond duquel se trouvait le vieux bâtiment en briques rouges. En entrant, ils eurent l'impression de pénétrer dans un trou noir tellement le contraste avec la lumière de l'extérieur était grand. Seules deux fenêtres au fond de l'immeuble laissaient passer un peu de lumière du jour. Sinon, une quinzaine de spots diffusant une lumière blanche et uniforme révélaient brutalement les objets. Les murs, crasseux, ne cachaient rien des poutrelles d'acier et des solives soutenant le toit de tôle ondulée.

Comme souvent le samedi matin, l'atelier bourdonnait d'activités. Ils passèrent devant la loge vitrée qui faisait office de bureau et où Philippe-Étienne Brasier, propriétaire des lieux, fouillait dans une boîte de papiers, l'air inquiet.

— Salut, je te dérange? demanda Pierre dans le cadre de porte.

— Oui et non. Je cherche un papier pour les douanes. On livre à Dubaï la semaine prochaine et t'as pas idée comme c'est compliqué. Faut dire que je ne suis pas très organisé, ça n'aide pas. Ça va toi?

Le visage de Pierre s'illumina.

En reconnaissant Aube Desbiens de l'autre côté de la vitre, P-É, comme tout le monde l'appelait, comprit vite pourquoi. Aube connaissait le travail de Philippe-Étienne Brasier et admirait ses œuvres monumentales, qui suscitaient l'intérêt des amateurs d'art à travers le monde.

— Enchantée, dit-elle. Bravo pour votre travail. Je suis une grande *fan*.

— Merci, dit-il.

S'adressant à Pierre, il ajouta :

— Tu ne m'avais pas dit que tu connaissais Aube Desbiens, petit cachottier.

— J'aime garder un peu de mystère. Je veux préserver la magie entre nous, tu comprends, blagua Pierre.

— T'es trop chou.

Pierre et Aube laissèrent P-É à ses papiers. En se dirigeant tout au fond, où se trouvait l'atelier de Pierre, ils croisèrent d'abord deux jeunes hommes. Thomas et Joey, les adjoints de Philippe-Étienne, expliqua Pierre, qui, chalumeau à la main, assemblaient les modules de l'œuvre conçue par P-É.

D'autres artistes qui louaient à P-É des espaces de son atelier étaient présents. Pierre les salua et présenta Aube. Ils échangèrent quelques mots avec certains.

Poursuivant jusqu'à son espace de travail, Pierre aperçut la tignasse ébouriffée de Denise Sinclair. Il aurait volontiers poursuivi son chemin, mais Denise l'avait vu venir et releva la tête quand il passa.

— Salut, Denise, lança froidement Pierre sans ralentir le pas.

En guise de réponse, la femme marmonna des sons et ignora complètement la présence d'Aube. Devant son air intrigué, Pierre lui expliqua :

— Denise Sinclair, c'est l'exemple vivant de l'artiste frustrée, qui considère ne pas avoir la carrière qu'elle mérite. Elle a du talent, mais c'est une peau de vache et elle se met tout le monde à dos. Moi, elle ne m'aime pas parce que je m'appelle Desgroseillers et que je fais un bon salaire, alors qu'elle en arrache. Elle prétend que je joue à l'artiste. Elle n'a peut-être pas tort, mais peu importe, elle ne rate jamais une occasion de déblatérer sur mon compte. Elle a même tenté de convaincre P-É de louer mon espace à quelqu'un d'autre, à un vrai artiste. Je l'ignore le plus que je peux.

Ils atteignirent le fond du bâtiment, où se trouvait l'atelier de Pierre, dans un coin isolé.

— Voilà, c'est ici.

Il y avait là, pêle-mêle, tout ce dont Pierre avait besoin pour s'adonner à son «passe-temps», comme il disait.

— Wow! C'est donc vrai, t'es un artiste!

— C'est un bien grand mot.

Pierre s'était mis au travail de l'acier et à la soudure en côtoyant Philippe-Étienne Brasier, l'animateur de son atelier pour débutants, qui était devenu avec le temps un très bon ami. Même s'il avait vite fait preuve d'un talent et d'un sens artistique évidents, Pierre ne s'était jamais considéré comme un artiste.

Au tout début, poussé par l'urgence de créer, il avait produit en quelques mois des dizaines d'œuvres. Il avait vite compris que cette frénésie de création lui permettait de se libérer de la douleur qui le paralysait depuis la mort de David. Ou bien était-ce cette souffrance qui lui avait permis de créer? Tout se confondait dans sa tête, mais cette période, peut-être la plus créative de sa vie, avait également été la plus douloureuse.

Sa démarche artistique s'était avérée pénible et, pour cette raison peut-être, il n'avait plus rien créé par la suite. Pierre n'était-il l'artiste que d'une seule inspiration? Lui-même voulait s'en convaincre en s'en tenant maintenant à la création d'objets utiles dans la vie courante.

Au centre de l'espace se trouvait d'ailleurs la patère sur laquelle il travaillait depuis quelques jours.

— Tu fais une patère! s'exclama Aube. C'est le *fun*! dit-elle sur le ton de l'adulte qui félicite l'enfant pour son beau bonhomme en pâte à sel.

— T'as l'air déçue.

— Mais non, c'est beau! Vraiment.

Elle s'intéressa à tout et posa plein de questions. Pierre lui expliqua la fonction de chacun des outils. Il lui fit même souder un crochet à sa patère. Ils s'amusèrent ainsi jusqu'au moment où, solennelle, Aube demanda :

— Et tes sculptures, elles sont où ?

— Juste là, dans le cagibi, dit-il en désignant une grosse porte noire cadenassée.

— Je ne sais pas pourquoi, mais j'ai l'impression que bien peu de monde a vu ce qu'il y a là-dedans.

— T'as raison.

Pierre fouilla dans un tiroir de son coffre à outils et trouva une clé grâce à laquelle il débarra le cadenas. Il ouvrit la porte épaisse dont les pentures grincèrent. À l'intérieur du réduit, Aube aperçut dans la pénombre une douzaine de structures irrégulières recouvertes de grosses toiles beiges poussiéreuses, placées sur des étagères industrielles.

— *My God !* On dirait des fantômes.

Pierre fut ébranlé par la comparaison, mais ne releva pas. Il enfila plutôt ses gants de protection et agrippa une première sculpture, qu'il traîna sur le sol jusqu'au centre de son espace de travail en poussant du pied la patère. D'un grand geste, il retira la toile.

En voyant ce qui se trouvait dessous, Aube fut immédiatement troublée. Il s'agissait d'une structure haute d'environ un mètre et constituée de pointes d'acier, ou plus précisément de lames pointues et effilées, une centaine au moins. Ces lames, de différentes longueurs, formaient un flot jaillissant du sol, un geyser impétueux qui projetait dans toutes les directions ses éclats meurtriers.

Impressionnée par la puissance menaçante de l'œuvre, Aube demeura un long moment à en scruter les détails, tournant autour, fascinée par ce déchaînement de fureur figé dans l'espace.

— Je suis sans mot…, finit-elle par dire. Je ne m'attendais tellement pas à ça…

Pierre sortit deux autres des sculptures qui croupissaient dans le cagibi. Bien que les conditions ne soient pas les meilleures pour en apprécier la valeur artistique, Aube fut émue, bouleversée à la vue des deux autres sculptures, aussi fascinantes et puissantes que la première.

Pierre revoyait ses créations pour la première fois depuis très longtemps. L'émotion qui l'envahit ne portait pas de nom; lui, en tout cas, n'aurait pas su la nommer. Il mesura toutefois le passage du temps, comme si les pointes effilées et les arêtes coupantes de ses œuvres ne parvenaient plus à le blesser comme avant.

Pierre, n'ayant personne pour l'aider à manipuler les autres sculptures, lourdes de plusieurs dizaines de kilos, dut promettre à Aube de lui montrer le reste avant longtemps. Elle n'avait vu que trois de ses œuvres, mais déjà, elle comprenait tout un pan de l'esprit de Pierre, même s'il ne semblait pas vouloir l'assumer. Pour quelle raison perdait-il son temps à fabriquer des patères ou à rédiger des directives municipales? C'était incompréhensible.

Si jamais il devait se passer quelque chose entre eux, Aube allait se donner la mission de ressusciter l'artiste et de trucider le fonctionnaire.

*

Yvan Ravel avait tout organisé pour que son ami et patient puisse subir sa biopsie le plus rapidement possible. Richard n'avait eu qu'à se présenter à son rendez-vous dans une clinique privée de la Rive-Nord où, après qu'il eut déboursé une somme rondelette, on avait effectué sa biopsie à l'épaule.

Quelques jours plus tard, le docteur convoqua Richard pour lui donner les résultats du test. Il avait beau connaître l'essentiel de son état, il entra dans le bureau tendu à l'extrême. Le médecin ne le fit pas attendre longtemps.

— La biopsie a confirmé ce que je croyais : c'est un cancer des os, à un stade assez avancé. Par contre, il n'est pas trop tard pour essayer de le traiter, mais ce sera pénible et la réussite n'est pas garantie.

— C'est quoi le pire des scénarios ?

— Si on traite et que ça marche, ton espérance de survie, à ton âge, est d'environ cinq ans. Si on ne traite pas, tu en as pour six mois, plus ou moins. Mais pour toi, c'est quoi le pire des scénarios : survivre ou mourir ?

Richard haussa les épaules.

— Au point où j'en suis, je n'ai pas très envie de me battre. Je veux juste ne pas souffrir pour rien. C'est quoi les traitements ?

— Faut voir avec ton oncologue, mais on peut penser à la radiothérapie, à la chimio, aux hormones, ça dépend. Je ne peux pas t'assurer que ce sera sans douleur ni inconfort.

— Et tu ne peux pas me promettre que ça va marcher…

Pourquoi se battre alors ? se demanda Richard. Pour qui ? Sûrement pas pour son fils. Adeline avait raison, Pierre le détestait. Malgré ses efforts, Richard n'était jamais parvenu à comprendre ce fils capricieux et rancunier, ni à se faire comprendre de lui. Rien ni personne n'allait ramener cette relation perdue. Pierre était trop buté. Rien dans cette relation ne lui donnait suffisamment d'élan pour entreprendre un tel combat. Pourquoi s'acharner ?

Et Adeline… Que dire d'Adeline, son coup de foudre de vieillesse ? Depuis son mariage, il se disait que c'était à peu près impossible qu'une femme comme elle, jeune et belle, tombe véritablement amoureuse d'un homme comme lui, pas si beau et pas si bien conservé. Au début de leur mariage, Richard y avait pourtant cru. Il s'était dit que l'amour viendrait un jour. Sept ans plus tard, il attendait toujours. Son mariage n'était en fait qu'un arrangement. Sans se l'avouer, il s'était « acheté » une femme trophée, une très belle personne à regarder et à toucher, parfois, quand il était chanceux. De son côté, elle profitait de la notoriété de son mari pour satisfaire son ambition insatiable et sa passion des belles choses et des gens stimulants. C'était bien agréable d'avoir une femme comme Adeline à ses côtés, mais de là à se battre au nom de leur amour… Pas sûr.

— T'es mieux de me donner de bonnes pilules. Je veux de la morphine.

— D'accord, je vais te prescrire des comprimés, ça devrait faire l'affaire, pour l'instant du moins. Quand la douleur deviendra plus intense, on ajustera la dose.

Il remercia Yvan et quitta son bureau. Il avait tout juste le temps de se rendre à la session de photos des nouveaux grands « donateurs » à la Fondation Dreaming, ceux qu'Yves Fradette appelait ses « clients ».

Le taxi le laissa devant le studio de photographie et le commis qui le reçut le fit passer dans une grande pièce aux murs recouverts de tentures noires. Dans un coin bien éclairé, une dizaine de personnes, habillées proprement, attendaient. Toutes avaient récemment été ajoutées à la liste des grands donateurs de la Fondation Dreaming pour des dons de 50 000 dollars et plus. À titre de grands donateurs, ces personnes avaient droit à la photo officielle avec le président honoraire du comité de collecte de fonds, le très sympathique Richard Desgroseillers. Une grande toile bleue, aux motifs texturés, allait servir de fond aux photos.

En voyant Richard faire son entrée, Jimmy, l'adjoint d'Yves Fradette, pressé d'en finir, s'exclama :

— Ok ! On peut commencer. Tout le monde en place.

Docilement, le groupe se plaça devant la toile bleue, certains debout, derrière, et d'autres assis. Au centre, à l'avant, Richard s'installa sur un petit tabouret. Il joua parfaitement son rôle en saluant joyeusement la compagnie, qui répondit avec enthousiasme. Le photographe ajusta la position des uns et des autres et, revenant à son trépied, il improvisa quelques pitreries pour déclencher les sourires tout en bombardant ses modèles de son appareil sophistiqué.

L'atmosphère dans le studio se détendit et les participants sympathisèrent. Richard y alla de quelques facéties pour faire rire l'assistance. Après une dizaine de minutes de photos de groupe, Jimmy passa à l'étape des photos individuelles. Pendant une interminable demi-heure, Richard, tout sourire, se laissa prendre en photo en compagnie de ces gens, leur serrant la main, leur remettant le parchemin attestant leur générosité, allant même jusqu'à leur faire l'accolade. Quand les donateurs eurent tous été photographiés aux côtés du président honoraire, Jimmy décréta la fin de la séance, au grand soulagement de Richard.

Grâce aux merveilles de la technologie, les gens purent repartir avec leur photo souvenir. Comme toujours, quelques-uns voulurent faire autographier leur photo par Richard. Ce jour-là, une des dames présentes l'approcha et lui ordonna presque d'écrire : « À mon amie Georgette. » Richard, agacé par le sans-gêne de cette femme, écrivit : « À Georgette », en maquillant son écriture et en apposant dessous un barbeau qui n'avait rien à voir avec son autographe.

Depuis son admission au Panthéon de la renommée, Richard vivait mal avec l'idée de collaborer à une supercherie, même si c'était pour le bien des enfants. Il vendait son âme au diable et maintenant qu'il se savait condamné, peut-être voulait-il se refaire une virginité. Son temps était compté. Il devait faire tout ce qui était en son pouvoir pour arrêter la magouille et prévenir un scandale qui ruinerait à coup sûr sa belle réputation.

*

La lumière du jour déclinait rapidement quand P-É vint voir Pierre, penché sur le support à bouteilles de vin qu'il était en train de fabriquer, une meuleuse à la main. P-É dut crier pour se faire entendre.

— Une bière ?

Pierre déposa son outil, retira ses gants et ses lunettes de protection et accepta la bouteille que lui tendait son ami.

— Ça fait longtemps qu'on s'est vus, il me semble, nota P-É. C'est vrai qu'avec une nouvelle femme dans ta vie, t'as plus de temps pour tes chums. Qu'est-ce qu'elle a, Aube Desbiens, que je n'ai pas ? lança P-É, envieux.

— C'est fou, mon gars ! Je ne me comprends plus ! C'est vraiment un coup de foudre. Je ne pensais pas que ça pouvait m'arriver. Je pense juste à elle, je veux toujours être avec elle. Je me sens comme un ado en pleine poussée d'hormones, avoua Pierre. La fin de semaine dernière, je pense qu'on a fait l'amour cinq fois. Ça fait des années que ça ne m'est pas arrivé.

— Méchant coup de foudre ! Fais attention. Le feu, des fois, ça fait des ravages.

— Je sais, mais je vois plus clair ! C'est comme un gros flash !

— Ouais… C'est plus grave que je pensais.

Ils entendirent, à l'autre bout de l'atelier, s'ouvrir puis se refermer la lourde porte d'entrée. Tendant l'oreille, ils entendirent ensuite le claquement caractéristique de ses souliers à talons sur le béton. Quand il vit Aube émerger dans son recoin, Pierre demeura sans voix. Elle était vêtue d'une robe claire, mettant en valeur ses jolies jambes, et d'un blouson en jean élimé, lui conférant un petit air canaille, très sexy. Seuls un peu de mascara, une ligne sous les yeux et un rouge à lèvres aussi écarlate que les ongles de ses doigts suffisaient à illuminer son visage. Ses cheveux blonds, retenus en un chignon très approximatif, débordaient en mèches bouclées que retenaient ses lunettes de soleil remontées sur le dessus de la tête.

Aube s'arrêta net, à quelques mètres d'eux. S'ils avaient été seuls, elle se serait sûrement précipitée dans les bras de Pierre, mais en présence de P-É, elle retint son élan, par pudeur.

— Je ne t'attendais pas. Quelle belle surprise !

— Ben, je suis là. Je vous dérange ? Salut, Philippe-Étienne, contente de te revoir.

Il en était de même pour P-É, qui offrit une bière à Aube. Elle accepta et, dès qu'il fut parti pour aller la lui chercher, Aube se jeta sur Pierre et ils échangèrent un profond baiser.

— Je suis vraiment contente de te voir ! avoua Aube.

— Et moi donc ! Depuis trois jours, je me demande pourquoi t'es pas avec moi, comment ça se fait qu'on n'est pas ensemble.

P-É revint avec trois autres bières.

— Si je peux me permettre, j'aimerais porter un toast. Ce n'est pas si souvent qu'on est en présence d'amoureux fous et passionnés. Faites quand même attention à vous deux, le grand amour est un sport extrême et, à nos âges, on manque parfois d'entraînement.

Ils entrechoquèrent leurs bouteilles et burent une généreuse rasade. Après quelques propos anodins, Philippe-Étienne se sentit soudainement de trop et prétexta un coup de fatigue pour annoncer qu'il rentrait chez lui. Quand ils furent seuls, Pierre attira Aube contre lui et l'embrassa de nouveau. Au moment de reprendre haleine, Aube se dégagea.

— As-tu faim ? On est à deux pas de la Petite Italie. Je connais un resto extraordinaire. Ça te tente ?

Même pour une poutine à Longueuil, Pierre l'aurait suivie. Il fit rapidement un brin de toilette et changea de vêtements, arma le système d'alarme et verrouilla la porte de l'atelier. Aube était venue en voiture et, à peine cinq minutes plus tard, elle se gara sur la rue Dante, à quelques pas du restaurant. Il s'agissait d'un minuscule resto, comptant une douzaine de tables et surtout réputé pour ses pâtes sauce tomate et basilic. Pierre laissa à Aube le soin de commander et choisit une bouteille de vin. Dès qu'ils eurent leur coupe en main, ils trinquèrent.

— À quoi on boit ? demanda Pierre.

— Buvons à toi... et à ton avenir, proposa Aube avec une pointe d'espièglerie dans l'œil.

Sans trop comprendre ce qu'elle avait en tête, Pierre leva son verre.

— J'ai beaucoup pensé à toi, enchaîna Aube, à toi et à ton « passe-temps », comme tu dis. Je suis encore sous le choc de ce que j'ai vu dans ton petit entrepôt. Je pense que tu as beaucoup de talent, Pierre, et que tu perds ton temps. Tu dois absolument sortir du placard.

Pierre eut une moue dubitative en entendant les propos d'Aube, comme s'il avait souvent eu cette conversation avec lui-même, sans jamais trouver les mots pour se convaincre ou l'énergie pour passer à l'action.

— Je ne sais pas, répondit-il. C'est vrai que c'est un passe-temps. Mon atelier, c'est mon havre, mon île déserte où je peux me réfugier. Je n'ai pas nécessairement l'intention d'en faire mon lieu de travail.

— Tu préfères ton petit bureau pas de fenêtre ?

— J'ai une fenêtre dans mon bureau.

— Tu sais ce que je veux dire... J'ai parlé de toi à Jovette Pollack au journal, c'est une amie. Je lui ai raconté à quel point j'ai été étonnée de voir tes œuvres. Elle m'a donné ça.

Aube tendit à Pierre une feuille imprimée. C'était un communiqué de presse du Haut-Secrétariat des arts et des lettres du Canada qui annonçait la tenue d'un concours s'adressant aux artistes sculpteurs. À l'automne suivant, Hans Bergmeier, un sculpteur allemand, serait de passage à New York pour un *master class* de deux mois.

— Hans Bergmeier ! À New York ! s'exclama Pierre.

— Moi, je ne le connais pas, mais Jovette m'a dit que c'est un grand maître. Le Haut-Secrétariat a réservé trois places pour des artistes canadiens. En plus des frais liés au stage, il paie l'avion et l'hébergement. Tu n'as que ta bouffe et tes dépenses personnelles à assumer. Ça vaut la peine ! Tu devrais tenter ta chance. On ne sait jamais.

— Pas sûr. Un stage avec Hans Bergmeier, c'est pour les sculpteurs, les artistes qui en font leur carrière. Je ne réponds pas aux critères, c'est sûr. Je n'ai jamais exposé, je n'ai pas de dossier de presse, je n'ai même pas de portfolio. J'ai zéro chance.

— Pierre, t'es un vrai sculpteur. De toute évidence, t'as un problème avec ça, mais tes œuvres parlent pour toi. T'as qu'à te monter un portfolio. Fais photographier tes œuvres par un pro, écris quelques textes de présentation. Jovette est même prête à venir voir tes œuvres. On ne sait jamais, elle aura peut-être envie d'écrire sur toi. Même que le grand Philippe-Étienne Brasier peut t'écrire une lettre de recommandation.

Devant tant d'enthousiasme, Pierre n'avait plus beaucoup d'arguments à opposer. Aube avait raison. Il devait tenter le coup, au moins une fois, même si cela lui paraissait d'une extrême prétention.

— D'accord, mais je te propose un marché, dit-il. J'accepte de soumettre ma candidature à condition que tu t'engages à venir avec moi si jamais je suis choisi.

— On se connaît à peine ! Qui sait où on sera à l'automne ?

— Si on est chanceux, à l'automne, on sera à New York, à triper ensemble pendant deux mois.

— Dit comme ça, c'est difficile de refuser.

En fait, à ce moment-ci, c'était facile d'accepter. Les chances que tout cela se réalise étaient minces. Inutile de s'affoler.

Pierre, pour sa part, s'était mis à fabuler sérieusement à propos de l'idée de partir à New York avec Aube pendant deux mois. Même si ses chances étaient nulles, pourquoi ne pas tenter le coup ?

Tiré de sa rêverie par son téléphone, il reçut un texto de Jason : « Tu te rappelles que ma collation des grades est dans une semaine ? Je te réserve une place ? »

Pierre n'avait pas oublié, mais l'événement s'annonçait éprouvant. Il redoutait d'abord la rencontre avec son père, la première depuis le banquet du Panthéon. De plus, maintenant que Jason était diplômé, Emily allait sans doute lui remettre sous le nez sa remarque mesquine qui sous-entendait que son fils était simple d'esprit. Il s'en voulait encore. Pour se donner un peu de courage et avoir du soutien, il se mit en tête de convaincre Aube de l'accompagner.

L'invitation prit Aube au dépourvu et elle dut y réfléchir vite. Était-elle prête à rencontrer sa famille ? Il s'agissait d'une étape importante, estimait-elle avec inquiétude, qu'on franchissait quand on était un couple officiel. Formaient-ils un couple officiel ?

— C'est sans conséquence, je t'assure. Je ne veux pas y aller seul, c'est tout. J'aimerais vraiment que tu m'accompagnes.

Elle céda.

« Je serai là. Réserve-moi deux places », texta Pierre à Jason.

« Ho ! Ho ! Quelqu'un qu'on connaît ? »

« Surprise ! »

*

Cramponnée à la barre, Aube subissait le mini-enfer du retour à la maison, coincée dans un wagon de métro bondé de gens détrempés et grelottants. À la sortie des bureaux, des pluies torrentielles s'étaient abattues sur le centre-ville, prenant par surprise des milliers de travailleurs qui n'avaient pas pu s'abriter.

À la station Berri-UQAM, point de jonction des plus importantes lignes du réseau, son wagon se vida presque entièrement avant de se remplir de nouveaux voyageurs se dirigeant, comme elle, vers le nord de la ville et pressés d'y arriver. Les portes des wagons se refermèrent et le train redémarra. C'est à ce moment qu'Aube se fit aborder discrètement par un homme s'étant faufilé jusqu'à elle.

— Bonjour, madame Desbiens.

La voix lui était familière et, en le voyant, elle reconnut tout de suite l'inconnu de la soirée hommage. Vêtu du même trench-coat, mais trempé par la pluie, et coiffé de sa casquette dissimulant partiellement son visage.

— Ma foi, vous me suivez. Qu'est-ce que vous me voulez?

— Je ne vous veux aucun mal, dit-il calmement et de façon à ne pas être entendu des autres passagers. Je me demandais simplement si vos recherches avançaient. Avez-vous pu éclaircir le mystère des collectes de fonds miraculeuses de Richard Desgroseillers pour la Fondation Dreaming?

— Je n'ai aucune raison de m'intéresser aux collectes de fonds de la Fondation Dreaming, ni à M. Desgroseillers, d'ailleurs.

— Dommage. C'est pourtant passionnant, surtout si on s'intéresse aux grands donateurs. Savez-vous qui sont M. et Mme Marcel Poitras, Gisèle Bourdage ou Jean Clément? Non, bien sûr. Mais si on considère que ces personnes ont donné en moyenne 75 000 dollars à Dreaming l'an dernier, ce ne sont certainement pas des quidams. C'est comme l'association Les Petits Pas, qui organise des marche-o-thons, ou le regroupement évangéliste Don de vie, qui effectue des collectes pour les enfants malades. À eux seuls, ces deux organismes ont remis près de 500 000 dollars à la Fondation Dreaming l'an dernier et 400 000 dollars l'année d'avant. Le moins qu'on puisse dire, c'est que ces gens sont drôlement efficaces pour ramasser de

l'argent. Pourtant, je vous mets au défi de parler directement à l'une ou l'autre de ces personnes ou aux responsables des organismes.

— Donnez-moi votre nom. Pourquoi vous me dites
tout ça?

— Mon nom n'a aucune importance et ce que je vous
dis là pourrait bien vous mettre sur la piste du *scoop* de
votre vie. C'est un cadeau, c'est tout.

— Un cadeau? J'en doute fortement. Je ne perdrai certainement pas mon temps à enquêter pour quelqu'un qui
refuse de se nommer.

— Oubliez l'enquête. Essayez simplement de parler à
ces gens, en personne. Vous verrez bien.

Sur ces mots, le métro entra en gare à la station Sherbrooke et, sans même lui laisser le temps de discuter, l'individu se faufila dans la foule et sortit du wagon. Aube
chercha dans son sac un crayon et un bout de papier sur
lequel elle nota en vitesse : Poitras, Bourdage, Clément,
Les Petits Pas et Don de vie. Encore sous le choc à l'idée
que l'individu l'avait probablement attendue à la sortie du
journal et l'avait suivie dans le métro, Aube ne put penser
à rien d'autre jusqu'à ce qu'elle atteigne la station Jarry,
où elle descendit.

4

Depuis très tôt le matin, Pierre tournait en rond. C'était aujourd'hui la collation des grades au Collège militaire royal de Kingston. Il s'était douché et il ne lui restait qu'à s'habiller, mais Aube traînassait encore au lit. Deux fois, il était allé la réveiller avec des mots doux, sans succès. La troisième fois, Aube, lascive et impudique comme une sirène, voulut l'attirer vers elle, mais il se dégagea juste à temps.

— On ne peut pas ce matin. On part dans trois quarts d'heure. C'est la collation des grades de mon fils. On a trois heures de route à faire. Il faut que tu te lèves.

La vérité, c'est que depuis sa rencontre de la veille avec son mystérieux informateur, Aube n'avait plus du tout envie d'accompagner Pierre et de rencontrer son père, Richard, sur qui, quoi qu'elle en dise, elle enquêtait discrètement. La situation devenait très inconfortable.

Elle dut ravaler ses inquiétudes et se préparer. Un vif combat se déroulait en elle. Devait-elle informer Pierre de sa rencontre de la veille ? Ce ne fut qu'après deux heures de route qu'elle se décida à soulager sa conscience.

— Te souviens-tu du gars qui m'a abordée au banquet du Panthéon ? Je l'ai revu hier, dans le métro.

— Encore ! Qu'est-ce qu'il voulait ?

— Il m'a demandé si j'avais fait des recherches.

— Et qu'est-ce que tu lui as répondu ? demanda Pierre, très intéressé à entendre la réponse.

— Je lui ai dit que je n'avais aucune raison d'enquêter sur la Fondation Dreaming et que je n'avais pas de temps à perdre avec ça.

— Et c'est vrai ? T'as pas fait de recherches ?

— Ben… en fait… Oui, j'ai vérifié quelques chiffres, mais je ne voulais pas le lui dire.

— Et qu'est-ce qu'ils disent, les chiffres ?

— Qu'il y a une forte augmentation des dons, mais la Fondation mène vraiment beaucoup d'activités de col-lectes de fonds. Ceci explique probablement cela.

— Ensuite ?

— Ensuite, rien. Il m'a balancé des noms, je n'ai pas tout compris, expliqua-t-elle vaguement. Je t'en parle juste pour te tenir au courant, mais ce n'est pas très crédible, conclut Aube sans trop se compromettre ou mentir.

— C'est un harceleur, ce gars-là. Tu devrais aller à la police.

— Franchement, Pierre ! La police ! Il s'est approché de moi deux fois pour me parler, environ trente secondes chaque fois, et il a disparu tout de suite après. Sais-tu com-bien de gens m'abordent chaque semaine, me parlent et continuent leur chemin ?

— Mais lui, il est malintentionné. On dirait quelqu'un qui veut détruire la réputation de mon père.

— Il n'a pas du tout été question de ton père hier, pré-cisa Aube d'une voix posée, mais ferme. Cesse de te laisser envahir par les problèmes de ton père. Et même s'il se passait des affaires croches à la Fondation Dreaming, rien ne prouve qu'il soit au courant.

Pierre fut sensible à l'argument. Si son père n'avait rien à se reprocher, il n'avait pas besoin d'être défendu.

Pierre avait perdu de longues minutes dans les dédales des travaux pour sortir de Montréal. Sur la 401 ontarienne, à une demi-heure de Kingston, il voulut rattraper son retard et appuya sur le champignon. Malheureusement pour lui, il fut repéré et rejoint par une voiture de police. Plutôt que de gagner du temps, il perdit un gros dix minutes en plus de récolter trois points d'inaptitude et une contravention de 300 beaux dollars.

Il maugréa contre lui-même. En arrivant, ils durent se garer plus loin, car le stationnement était rempli. Dans le Centre des sports, où la cérémonie était commencée, ils se frayèrent un chemin jusqu'à leurs places. Richard, Adeline et Emily étaient déjà assis.

Richard avait bien pris soin de placer Adeline et Emily entre lui et les deux places réservées au nom de Pierre. Ce dernier, pour son plus grand déplaisir, se trouva donc assis entre Emily et Aube, qui remarqua son front plissé et les mouvements de ses yeux, comme à l'affût. Elle posa sa main sur son bras. Il lui sourit, sembla se détendre un peu, mais reprit vite son expression inquiète.

La cérémonie allait bon train. Chaque diplômé devait monter sur scène pour recevoir son certificat de la part du recteur lui-même, serrer la main du brigadier-général et de l'adjudant-chef, prendre la pose pour la photo officielle et retourner à sa place.

Quand l'élève-officier Jason D.-Stuart fut appelé, Pierre sortit son téléphone et mit en marche la caméra vidéo. Aube remarqua sur son visage cette même expression qu'elle avait vue de loin dans la salle du *Ritz*.

Quand la cérémonie prit fin, l'assistance se leva. Tenant Aube par la main, Pierre se fraya un chemin à travers la foule, à la recherche de Jason, qu'il voulait à tout prix féliciter. Il l'aperçut et entraîna Aube avec lui.

— P'pa! s'exclama le jeune homme, étonné de voir Pierre surgir le premier pour le féliciter.

Pierre prit alors Jason par les épaules et lui fit une chaleureuse accolade.

— Félicitations, mon gars. Je suis fier de toi.

Juste au moment où Pierre allait remettre ça pour une deuxième étreinte, Jason se dégagea et se rua vers son grand-père qui s'amenait, bras tendus.

— On l'a eu, mon gars, on l'a eu! Beau travail! s'exclama Richard. On peut dire que tu ne m'as pas déçu.

Pierre reconnut bien là la façon de Richard de féliciter son petit-fils, en ramenant tout à lui: « Tu ne m'as pas déçu. »

Ne l'ayant pas vu depuis quelque temps, Pierre fut frappé par l'allure presque chétive de son père, qui semblait vieillir plus vite que tout le monde. Plutôt rondelet avant son premier cancer, il avait perdu beaucoup de poids et avait maintenu par la suite son poids santé. Mais là, de toute évidence, il en perdait encore.

Après Richard, Emily, si fière de son fils, le serra très fort et, les larmes aux yeux, lui chuchota quelque chose à l'oreille. Ils rirent ensemble. Pierre avait été souvent témoin de scènes semblables. Il avait partagé dix-sept ans de sa vie avec ces deux personnes, mais l'accès à leur intimité mère-fils lui avait toujours été strictement interdit.

Il fut heureux de constater qu'Emily ne tentait pas de le tourmenter pour ses déclarations méprisantes du passé envers Jason. Quant à Adeline, elle demeura un peu en retrait de la mêlée. Elle attendit que Jason croise son regard pour lui souffler un baiser du bout des doigts, tout en lui décochant son plus joli clin d'œil.

Après la cérémonie, les familles étaient conviées à un cocktail d'honneur, dans une salle adjacente. La foule se déplaça lentement. C'est le moment que Pierre choisit pour présenter officiellement Aube.

Jason la salua chaleureusement. Emily et Adeline l'accueillirent plutôt froidement et Richard, toujours très affable, se dit enchanté de la revoir. Il ne put s'empêcher aussi de souligner l'ironie de la situation.

— Vous savez que je me suis quasiment fait couper la tête parce que j'ai forcé mon fils à vous rencontrer l'autre jour ? Et maintenant, si je comprends bien, vous êtes ensemble ? Je me suis fait tomber sur la tomate pour rien. Vous ne trouvez pas ça injuste ?

Aube sourit, elle aussi, devant l'ironie de la situation. Son plaisir fut toutefois teinté de la peur irraisonnée que quelque chose en elle la trahisse. Qu'elle puisse dire ou faire quelque chose qui pourrait être retenu contre elle, si jamais un jour un scandale éclatait.

Tous se rendaient lentement vers la salle d'une démarche un peu rigide, sans se parler. Pierre près d'Adeline et de son père, Aube à côté d'Emily. Pierre s'approcha de son père et lui demanda discrètement :

— Est-ce qu'on peut se parler ?

— Oui, mais si c'est pour me parler de la soirée du Panthéon, j'aime autant te le dire, je ne veux pas t'entendre. C'est fait, c'est fait. Assume les conséquences ! Moi, je veux te parler d'autre chose, répondit Richard sur un ton neutre et froid.

Ils s'arrêtèrent à l'écart et Richard fit signe à Adeline et aux autres de continuer, ils n'en auraient que pour un instant. Aube suivit les autres, mais jeta un regard à Pierre le pressant de faire ça vite.

Sur un ton solennel, Richard alla droit au but.

— Avant que tu l'apprennes ailleurs, je voulais te dire en personne que le cancer est revenu, dans les os. C'est assez avancé. Il ne m'en reste plus pour longtemps.

— Qu'est-ce que tu racontes ? demanda Pierre, la voix cassée.

— Yvan Ravel me l'a confirmé et j'ai refusé les traitements. Je vais me contenter des antidouleurs et c'est bien correct comme ça.

L'annonce plongea Pierre dans un état de grande confusion.

— Je suis désolé, finit-il par murmurer. Ça me fait beaucoup de peine.

Richard ignora la tristesse que provoquait la nouvelle chez son fils.

— Je te demanderais de ne pas en parler à Jason ni à Emily, je vais leur annoncer ça moi-même, mais pas aujourd'hui. Je ne veux pas gâcher leur *fun*, tu comprends. Je ne suis pas comme d'autres.

Pierre comprit l'allusion, mais ne répliqua pas.

Après un court silence et considérant que tout était dit, Richard proposa de rejoindre les autres.

— C'est tout ? s'exclama Pierre. On n'a rien d'autre à se dire ?

— Pas moi. Toi ?

Pierre avait beaucoup à dire, mais rien ne venait pour l'instant, alors il laissa tomber et suivit son père vers le cocktail.

— De toute façon, je ne suis pas encore mort, ajouta Richard.

Sans même se consulter, ils se composèrent des figures d'hommes qui venaient de faire la paix. Ils trinquèrent à la santé de Jason et chacun partit tôt.

*

Sur le chemin du retour, Pierre mijotait dans un bouillonnement d'émotions où remontaient à la surface de lointains souvenirs. L'heure du bilan allait sonner, mais encore trop de regrets se mêlaient à trop de rancune pour qu'il puisse être en paix.

Il apprit la nouvelle de la maladie de son père à Aube, qui mesura aussitôt sa peine. Elle aurait voulu le prendre dans ses bras, mais il conduisait. Elle mit seulement la main sur son bras droit en guise de réconfort.

— Je ne sais pas l'effet que ça me fait, lui dit-il. C'est ce qui me trouble le plus. Oui, je suis triste, mais je suis surtout désemparé. J'ai tellement de choses à régler avec mon père ! Une montagne de choses et je ne sais pas comment je vais m'y prendre. Je me demande même si ça me tente vraiment, si je ne m'en vais pas chercher mes dernières claques sur la gueule.

*

Quand ils arrivèrent chez lui, elle l'entraîna directement dans la chambre. Elle le prit dans ses bras et l'embrassa tendrement. Pierre se laissa prendre. Ils se déshabillèrent lentement et, dans le lit encore défait, Pierre s'étendit, puis Aube s'allongea sur lui, en collant le plus qu'elle put sa peau contre la sienne. Sans désunir leurs lèvres, elle ondula doucement comme une vague cherchant un rivage. Pierre adopta le mouvement et prit ses mains dans les siennes. Aube se releva, dévoilant ses seins aux mamelons durcis, et prit appui sur ses genoux, placés de chaque côté des hanches de son amant.

Plaquant son sexe déjà humide sur le sexe de Pierre, elle chercha un contact direct entre son petit clitoris durci et la peau douce de ce membre bien gonflé. D'un mouvement d'abord très lent, elle se masturba, les yeux clos et la respiration sifflante. Ce n'est qu'après un long moment de cette douce torture que Pierre la supplia presque.

Elle ouvrit alors les jambes et, roulant habilement du bassin, elle se laissa glisser sur le sexe fou de Pierre. Lui, généralement si résistant à la tâche, ne put se retenir longtemps et éjacula puissamment. Aube n'attendait que cela pour laisser jaillir son propre plaisir. Sentant la chaleur se répandre sur son ventre, il sombra dans un sommeil aussi profond qu'instantané.

*

Assise à la table du coin café de l'atelier, Denise Sinclair laissait infuser sa poche de thé. Elle reçut comme une gifle la nouvelle : Pierre Desgroseillers avait l'intention de participer à un concours du Haut-Secrétariat. C'est Joey, un des deux aides de Philippe-Étienne, qui s'était ouvert la trappe.

— Il a demandé à mon *boss* une lettre de recommandation, chuchota Joey, qui rapportait volontiers ce genre de petites nouvelles à celle qu'il appelait DS et avec qui il couchait de temps en temps.

— Une lettre de recommandation ? s'indigna DS. Il a dit non, j'espère ?

— Non, il est en train de l'écrire.

Denise détestait Pierre, ce *wannabe* de la sculpture, ce dilettante qui se payait un atelier d'artiste comme d'autres se louent un chalet de ski l'hiver ou un motorisé l'été, pour passer le temps.

— Il a du front tout le tour de la tête. Ce n'est pas pour lui, ce concours. Maudit fils de riche bardé de privilèges, mais qui en veut encore plus. Le pire, c'est que je l'ai déjà entendu dire : « L'art, moi, ça ne m'intéresse pas tant que ça. Ce que j'aime, c'est souder. » Qu'il se trouve donc une job sur un chantier maritime. Il va pouvoir souder à son goût et arrêter de faire chier les vrais artistes.

Denise ne pouvait pas croire que Philippe-Étienne avait accepté de lui écrire une lettre. Elle traversa l'atelier à grandes enjambées et entra sans frapper dans le petit bureau vitré, où P-É, devant son portable, cherchait péniblement ses mots.

— C'est peut-être pas de mes affaires, mais en même temps, oui, ça me concerne. Es-tu vraiment en train d'écrire une lettre de recommandation à Pierre Desgroseillers ?

— Je ne vois pas en quoi ça te regarde.

— Voyons, P-É ! Il vient ici une fois de temps en temps, il soude des bouts d'acier. T'as vu ce qu'il fait présentement ? Une table à café ! Il est là pour s'amuser, ce gars-là. Pour jouer avec des outils. Il ne travaille pas vraiment. Un stage de deux mois avec Hans Bergmeier, ce n'est pas pour Pierre Desgroseillers. Il prendrait la place de quelqu'un qui pourrait vraiment en profiter.

— De quoi t'as peur ? Si son dossier n'est pas satisfaisant, le jury ne le prendra pas.

— Mon Dieu que t'es naïf, mon pauvre P-É. Son père, c'est Richard Desgroseillers. Si ça se trouve, il connaît des gens qui siègent au jury. As-tu déjà entendu parler du concept de retour d'ascenseur ? demanda DS, ironique. Et même si personne ne doit rien à Richard Desgroseillers, l'occasion est belle pour faire en sorte que Richard doive quelque chose à quelqu'un. Je te le dis. S'il se présente, il va gagner. C'est écrit dans le ciel.

Philippe-Étienne dut admettre que la possibilité que Pierre remporte le concours pour les mauvaises raisons était réelle.

— Il faut que tu comprennes aussi que maintenant que ta cote est à la hausse, ton avis sur la qualité du travail d'un collègue pèse plus lourd aux yeux d'un jury de sélection. En lui signant une lettre de recommandation, tu lui accordes un avantage sur d'autres artistes peut-être plus méritants. Pense bien à ton affaire. C'est une importante responsabilité que tu as. Pierre Desgroseillers, ce n'est pas un artiste.

P-É voulut défendre son ami, mais il devait admettre que Pierre lui-même ne se considérait pas comme un artiste. Il était donc difficile d'écrire une lettre de recommandation pour un artiste qui ne se percevait pas comme tel. Pourtant, P-É savait que Pierre en était un, mais il comprenait mal les raisons qui l'empêchaient de s'assumer. Ils avaient souvent eu cette discussion, qui finissait toujours par la même conclusion : « Je suis en panne, ça va passer. » Mais depuis deux ans, ça ne passait pas et Pierre se contentait de faire des supports à bouteilles pour ses amis.

*

Seule, chez elle, Aube perdait beaucoup de son lustre social. Vêtue d'un jean troué et d'un t-shirt déformé, les cheveux gras et le vernis à ongles abîmé, elle s'était installée sur le fauteuil du salon, les pieds sur la table à café, avec une bière et un sandwich au poulet en guise de souper. Son portable sur les cuisses, elle fouillait l'Internet.

Poitras… Bourdage… Clément… Elle scrutait la liste des grands donateurs, à la recherche des noms que lui avait balancés M. Trench-coat l'autre jour. Poitras… Bourdage… Clément… Elle trouva les noms de M. et Mme Marcel Poitras, de Québec, décédés tous les deux l'année précédente. Un peu plus loin, on faisait mention de la succession de Gisèle Bourdage, sans nommer le responsable. La seule piste qu'elle put suivre fut celle de M. Jean Clément, de Montréal, dont le nom apparaissait dans le rapport annuel de 2011.

Elle chercha, sur le site *Canada411*, les Jean Clément de Montréal. Heureusement pour elle, il n'y en avait qu'une quinzaine. Elle entreprit, après le souper, de les appeler un à un et de leur poser directement la question : « Êtes-vous le Jean Clément qui a fait un don à la Fondation Dreaming ? » Ce n'est qu'au neuvième appel qu'elle obtint des résultats.

— Bonjour, j'aimerais parler à M. Jean Clément.

— Oui, c'est moi.

— Êtes-vous LE Jean Clément qui a fait un don à la Fondation Dreaming en 2011 ?

— À qui je parle ? demanda l'homme, soudainement inquiet.

— Je suis journaliste, enchaîna Aube, je fais un reportage sur...

— Qui vous a donné mon numéro ?

— Personne, j'ai vu votre nom dans le rapport annuel de...

L'homme raccrocha immédiatement. Par son ton catastrophé, Aube sut tout de suite qu'il s'agissait du Jean Clément qu'elle cherchait. Elle dut admettre que M. Trench-coat avait dit vrai, encore une fois : M. Clément n'était pas jasant. Elle nota tout de même ses coordonnées.

Encouragée par sa découverte, Aube inscrivit maintenant dans son moteur de recherche : « Les Petits Pas », l'organisme qu'avait mentionné son informateur. Elle trouva le site de l'association Les Petits Pas.

« L'association Les Petits Pas est un organisme à but non lucratif qui s'est donné pour mission d'organiser des marche-o-thons et des activités de sollicitation directe ou de vente d'objets promotionnels afin de ramasser des dons au profit des fondations et des organismes d'entraide qu'elle soutient. »

Les Petits Pas avaient organisé neuf marche-o-thons entre 2009 et 2011 à Joliette, à Sorel, à Shawinigan, à Granby, à Chicoutimi, à Salaberry-de-Valleyfield, à Mont-Saint-Hilaire, à Saint-Jérôme et à Saint-Georges, en Beauce. Aube cliqua au hasard sur l'onglet « Granby ».

« Merci à tous ceux et celles qui ont marché le 28 mai 2009 dans les rues de Granby. Grâce à leur participation, l'association Les Petits Pas réalise son objectif et aide les gens dans le besoin. »

Suivait une série de photos de marcheurs sur la ligne de départ, de gens en petits groupes avec des enfants souriants, de personnes en fauteuil roulant, d'aînés déambulant au milieu des rues de Granby dans une atmosphère bon enfant.

Aube cliqua ensuite sur l'onglet « Sorel ».

« Merci à tous ceux et celles qui ont marché le 17 septembre 2009 dans les rues de Sorel. Grâce à leur participation, l'association Les Petits Pas réalise son objectif et aide les gens dans le besoin. »

Suivait la même série de photos prises dans les rues de Sorel. Aube allait refermer la page quand elle tomba sur une photo où l'on reconnaissait parfaitement bien la bouille sympathique de Richard Desgroseillers, portant short, t-shirt et espadrilles, avec un Stetson enfoncé sur la tête. Il était accompagné de son épouse, Adeline, coiffée d'une casquette rose et tenant une bouteille d'eau mauve avec des fleurs roses. Incapable de tirer la moindre conclusion de la présence de Richard à un événement de collecte de fonds de l'association Les Petits Pas, Aube avait quand même l'impression de progresser.

Sa véritable stupéfaction lui vint quand elle découvrit que cet organisme avait remis à la Fondation Dreaming des montants de 302 000 dollars en 2009, de 348 000 dollars en 2010 et de 386 000 dollars en 2011, soit plus d'un million de dollars en trois ans. Il s'agissait d'un montant énorme considérant que les marche-o-thons, selon les photos, semblaient des événements plutôt modestes.

C'était plus que louche et ça devenait vraiment intéressant.

Devenue suspicieuse en raison de ces découvertes, Aube voulut vérifier ce qu'il en était vraiment de Jean Clément. Elle prit son sac et mit ses lunettes. Après avoir inscrit les coordonnées de l'homme dans le GPS de sa voiture, elle partit vers l'est de la ville. Parvenue à l'adresse en question, elle fut surprise de se retrouver dans un quartier populaire, devant une maison unifamiliale, comme il en existe peut-être des centaines de milliers à Montréal. À en juger par la corde à linge pleine, les bicyclettes dans l'entrée et le panier de basket sur le mur de côté, Jean Clément et sa famille vivaient dans une maison confortable, mais vraiment toute simple. Rien ne laissait supposer qu'ils avaient les moyens de faire un don de 75 000 dollars à un organisme de charité. Au risque de sauter trop hâtivement aux conclusions, Aube était maintenant convaincue qu'il y avait anguille sous roche.

*

Depuis quelques semaines, Richard prenait un comprimé contre la douleur soir et matin et n'avait plus jamais eu mal à l'épaule. Même s'il sentait tranquillement ses forces le quitter, il avait encore du ressort, pour peu que la douleur lui laisse du répit.

Cet après-midi-là toutefois, l'appel d'Yves Fradette, le convoquant d'urgence à son bureau, le stressa au plus haut point. C'est à ce moment qu'un genre de pincement se fit sentir à l'épaule gauche, rien de vraiment douloureux, mais la peur s'empara de lui. En temps normal, l'effet du comprimé devait durer douze heures. Si le médicament n'agissait plus sur lui, ce n'était qu'une question de temps avant que la douleur ne redevienne insupportable.

L'incident ne pouvait arriver à un pire moment, juste comme il allait pénétrer dans le bureau de Fradette, à qui il ne voulait pas révéler son état.

Aussitôt assis en face du comptable, Richard eut à se défendre.

— Qu'est-ce que tu as raconté à Aube Desbiens quand elle t'a interviewé ? demanda Fradette sur un ton accusateur. Elle a téléphoné à un de nos clients. Elle fait un reportage sur les grands donateurs à la Fondation Dreaming. Qu'est-ce qu'elle nous veut, tout à coup ?

115

— Comment veux-tu que je le sache? Moi, je lui ai donné des informations sur ma vie. Bien sûr que j'ai parlé de la Fondation, mais pas de nos « affaires ». C'est qui ce « client »-là?

— Jean Clément. Crois-tu à ça, toi, un reportage sur les grands donateurs?

— Ça se peut...

— Alors pourquoi Jean Clément en particulier? Comment elle a eu son numéro de téléphone?

— Arrête de me poser des questions. T'as l'air de croire que je sais quelque chose. Je ne sais rien. Je me rappelle même plus c'est qui, Jean Clément.

— Le mieux serait que j'appelle Aube Desbiens.

— Ce n'est pas une bonne idée. On devrait tenir ça mort, plaida Richard, émotif.

— Non, il faut faire quelque chose. Peut-être pas aujourd'hui, mais il faut agir, décréta Fradette. *Damage control*, ajouta-t-il, la voix pleine de sous-entendus.

— Je ne sais pas ce que tu t'es mis dans la tête, mais je n'ai rien fait. Je n'ai rien à voir avec elle, osa-t-il affirmer.

— Tu ne vas quand même pas nier que c'est la nouvelle blonde de ton fils?

— Comment ça se fait que tu sais ça? demanda Richard, distrait par un tiraillement dans l'épaule.

— Voyons, Richard, tout finit par se savoir, rappela Fradette.

*

Quand Pierre avait demandé à Philippe-Étienne Brasier de lui écrire une lettre de recommandation, ce dernier n'avait pas trouvé ridicule qu'il participe au concours. Il avait dit oui, avec enthousiasme, en ajoutant: «Je suis content de voir que tu t'y remets. »

Avec l'aide de Joey et de Thomas, Pierre avait réussi à sortir du cagibi ses douze sculptures. La manipulation de ces œuvres posait un grand défi à cause des pointes effilées, des arêtes coupantes, des bouts de tôle et des clous rouillés qui dépassaient de partout.

Aube avait ainsi sous les yeux l'œuvre entière du sculpteur Desgroseillers. Douze pièces tout à fait particulières, qui n'étaient pas « belles », bien que très esthétiques, mais plutôt saisissantes et troublantes. Certaines lui faisaient même peur, comme celle avec des crocs pointus jaillissant d'une gueule d'acier prête à dévorer. Elle entendait presque le cri de la bête. Étrangement, c'étaient ces pièces qui captaient le plus son attention.

Pierre avait engagé un photographe spécialisé, recommandé par Philippe-Étienne. Il était arrivé avec son studio portatif, ses spots, ses réflecteurs et un appareil photo numérique haut de gamme, fixé sur un trépied. Pour rendre justice aux œuvres, il avait tendu une toile dorée et luisante en guise de décor. Grâce à l'éclairage direct, les œuvres, en acier sombre et mat, se détachaient magnifiquement sur le fond flamboyant. Chacune fut photographiée sous différents angles, grâce à un socle monté sur un plateau rotatif.

Pierre s'activa beaucoup, comme s'il voulait s'occuper les mains et la tête pour ne pas sentir le vertige qui grandissait en lui. Depuis deux ans, ces fantômes dormaient dans le cagibi. Maintenant libérés, allaient-ils revenir le hanter ?

Malgré ses appréhensions, il traversa la journée sans trop de difficulté. Une fois le travail terminé et après avoir tout rangé dans la remise, Aube et lui quittèrent l'atelier en début de soirée, crevés et affamés. Ils optèrent pour un petit restaurant indien de la rue Jean-Talon Ouest.

— Ce n'est pas fini, nota Pierre avec une pointe de découragement dans la voix. Je dois encore écrire des textes qui expliquent tout ça.

— On va s'asseoir tranquillement et regarder les photos. Je suis certaine que ça va t'inspirer.

— Ce n'est pas l'inspiration mon problème. Je me demande seulement si j'ai envie de mettre en mots ce que j'ai trouvé si difficile à mettre en sculptures.

*

Le lendemain, Aube arriva tard au travail. La première chose qu'elle nota fut le clignotement de la lumière de sa boîte vocale lui signalant qu'elle avait un message. Elle l'écouta aussitôt : « Bonjour, madame Desbiens, mon nom est Yves Fradette, je suis le vice-président aux finances de la Fondation Dreaming Québec. J'ai reçu un appel de M. Jean Clément, qui m'a informé que vous l'avez appelé la semaine dernière. Il m'a dit que vous faisiez un reportage. J'aimerais beaucoup vous parler à ce sujet. Rappelez-moi dès que vous avez deux minutes. Merci. »

Le sang d'Aube ne fit qu'un tour. Elle nota le numéro et raccrocha. Elle ne tenait plus en place. Comment avait-elle pu s'imaginer qu'en appelant de chez elle l'affaire n'allait pas rebondir au journal ?

Après une brève réflexion, elle enfila ses souliers de marche, prit un carnet de notes et un crayon en même temps que son téléphone. Elle dévala l'escalier et sortit de l'édifice. Sur le trottoir, elle observa d'un côté, puis de l'autre et se mit à marcher d'un pas vif, en remontant la côte. Une quinzaine de minutes plus tard, elle s'assoyait sur un banc, dans un coin paisible du parc La Fontaine.

Les idées plus claires, Aube avait retrouvé son aplomb. Elle décida de rappeler Yves Fradette et de jouer à fond la carte du reportage. Elle allait bien voir ce qu'il avait à dire sur les grands donateurs. Il n'y avait personne autour pour entendre, elle composa donc le numéro de la Fondation Dreaming. M. Fradette répondit.

Après des salutations cordiales, Aube se fit réprimander par son interlocuteur malgré un ton avenant.

— Je comprends votre démarche, mais vous auriez dû vous adresser d'abord à la Fondation. Par souci de transparence, on dévoile l'identité de nos donateurs, ce qui ne veut pas dire qu'on peut les déranger n'importe quand. M. Clément s'est senti bousculé. Vous pouvez comprendre?

— Je suis vraiment désolée, ce n'était pas mon intention.

— Sans vouloir être indiscret, qui vous a donné son numéro?

— Personne. J'ai simplement remarqué son nom dans un rapport annuel et comme il n'y a pas beaucoup de Jean Clément à Montréal, je les ai tous appelés, jusqu'à ce que je tombe sur le bon.

Aube improvisa alors quelques questions sur les dons de charité, histoire d'avoir vraiment l'air de préparer un reportage.

— Ça va bien, la collecte de fonds à la Fondation Drea-ming. Le montant des dons du public est passé de 7 à 11 millions de dollars en un peu plus de trois ans. C'est 60 % d'augmentation, comment expliquez-vous cette performance?

— Ha! Mon Dieu, Mme Desbiens, venez à la Fonda-tion et demandez à n'importe lequel des employés com-ment on a fait. Eux le savent, ils ont tellement travaillé. On a créé toutes sortes d'événements, on s'est associé à des entreprises, à des syndicats, à des associations. Tout le monde est sensible à la cause des enfants malades. Le Conseil du patronat nous appuie et les grandes centrales syndicales aussi. Et si un jour la chicane pogne entre eux, on pourra toujours compter sur la Fraternité des policiers et policières pour mettre de l'ordre, car eux aussi nous appuient.

— Et Richard Desgroseillers?

— Ah, Richard! C'est vraiment un coup de génie de notre part d'en avoir fait le président honoraire de notre comité de collecte de fonds. Cet homme jouit d'un pouvoir très spécial. On dirait que, quand c'est lui qui demande, les gens donnent plus facilement.

— C'est le cas de vos grands donateurs. À part les grandes sociétés, quel particulier a les moyens de donner 75 000 dollars à un organisme de charité ?

— Vous seriez étonnée. Il y a beaucoup de personnes seules, sans descendance, qui désignent la Fondation comme légataire. Pour certains héritiers, il est plus avantageux parfois de faire un don de charité, et de profiter ainsi des déductions et des crédits d'impôt, que d'encaisser simplement le chèque. Il y a probablement autant de motifs pour donner qu'il y a de donateurs. En fait, pour votre reportage, on pourrait organiser une rencontre avec quelques-uns d'entre eux.

— Bien sûr ! Pourquoi pas ? répondit Aube, prise de court, car elle n'avait aucune envie de pousser le jeu aussi loin.

— Richard Desgroseillers va nous organiser ça. Il connaît tout le monde. Je vais lui demander de vous appeler.

— Oh ! Pas dans les prochains jours, improvisa Aube.

— Vous verrez ça avec lui, je ne connais pas son emploi du temps.

— Bon…, répondit Aube, un peu hébétée.

— Au revoir, madame Desbiens, lança Yves Fradette avec un énorme sourire dans la voix.

En raccrochant, Aube était exaspérée de voir les événements s'emballer de la sorte. Si ses patrons apprenaient qu'elle menait une enquête sur la Fondation Dreaming, elle allait sans doute se faire taper sur les doigts. Déjà, en prenant contact avec Yves Fradette, elle avait pris d'énormes risques. Elle n'allait pas en plus se prêter à une mascarade inutile avec les grands donateurs.

*

Depuis quelques minutes, Pierre jonglait avec une idée folle : une escapade dans le bois, avec Aube, pour préparer son dossier de participation au concours du Haut-Secrétariat. Il lui restait quelques jours de congé et Philippe-Étienne lui prêtait volontiers son petit chalet dans le bout de Mont-Laurier. Ne restait plus qu'à convaincre Aube de l'accompagner. Il composa son numéro en se croisant les doigts.

Aube fut immédiatement tentée. Le moment était idéal pour aller se faire oublier quelques jours dans une cabane au fond des bois.

— D'accord, mais on part tout de suite, proposa-t-elle, sur un coup de tête. On raccroche, on quitte le bureau et, dans une heure, tu passes me prendre chez moi, on fait le plein d'essence et on se pousse.

Le cœur de Pierre s'emballa.

Aube rangea son bureau vite fait et avisa son patron qu'elle devait partir d'urgence pour quelques jours. Des impératifs personnels inattendus (pour ne pas dire inespérés) l'appelaient à l'extérieur de la ville. Son patron rechigna bien un peu, mais finit par accepter.

Le plan se déroula comme prévu. Une heure plus tard, Pierre se présenta chez elle après être passé à l'atelier chercher la clé du chalet. Le lac Gravel se trouvait au nord de Mont-Laurier, tout près du village de Ferme-Neuve. Le trajet, qui prenait trois heures, se déroula normalement. Ils s'arrêtèrent au supermarché de Ferme-Neuve pour faire des provisions pour trois jours, avant de s'engager sur la route de gravier d'une dizaine de kilomètres, dernière étape du voyage.

Le soleil était déjà bas quand ils s'engagèrent sur le chemin menant au petit chalet. Ils sortirent lentement de la voiture, dans l'air lourd des parfums de la nature. Aube respira à fond et se dirigea tout de suite vers le bord de l'eau pour admirer le paysage. Le petit chalet surplombait le lac et le soleil couchant, derrière eux, plaquait d'or les parois rocheuses qui se dressaient sur l'autre rive.

— Wow! s'exclama Aube.

La noirceur tomba rapidement et ils entrèrent dans la cabane. Il régnait dans l'air des odeurs familières de poussière, de sapin et d'humidité. Pierre alluma les deux lampes sur pied, révélant les détails de la pièce principale du chalet. L'endroit, aux murs lambrissés de bois blond verni, plut immédiatement à Aube. Des photos de pêcheurs tenant fièrement leurs prises, des truites empaillées fixées sur des plaques et deux têtes de chevreuil ornaient les murs jusqu'au plafond. Des bibelots en plâtre, dont un ours dressé et un cendrier en forme de bûche, égayaient les meubles. Des napperons tissés et des bouquets de fleurs séchées, pleins de poussière, complétaient la décoration d'un autre temps. Un grand divan recouvert d'une courtepointe bourgogne et vert bouteille trônait au centre de la pièce en face d'un vieux poêle à combustion lente.

Pierre s'occupa d'abord de faire un feu dans le poêle.

— Les toilettes sont là, indiqua-t-il, et la chambre est ici.

Ils s'approchèrent tous les deux pour examiner la minuscule chambre, tout juste assez grande pour contenir un lit double et une petite commode. À leur plus grand ébahissement, ils se retrouvèrent tout de suite nus dans le lit.

Qui entraîna qui? Difficile à dire, mais en moins de cinq secondes, ils se ruèrent littéralement l'un sur l'autre pour s'embrasser à perdre haleine, pendant que dans l'atmosphère se répandait la douce chaleur du poêle.

Rien au monde n'était plus pressant que de relâcher la tension qui les soudait l'un à l'autre. Toute entrave aux contacts, aux goûts et aux odeurs devint vite insupportable. Pierre palpait à pleines mains la ferme rondeur des seins d'Aube, suçant et titillant son mamelon droit.

Aube caressait le sexe frémissant de son amant. Cherchant un contact plus étroit, de l'autre main, elle saisit doucement ses testicules dans la chaleur de sa paume. Grisée par le désir, Aube glissa lentement sur le corps de Pierre jusqu'à pouvoir s'humecter les lèvres de la goutte luisante qui perlait au bout de son gland. Elle le lécha d'abord avant de le prendre à pleine bouche et de l'aspirer savamment.

Pierre, prisonnier, parvint quand même à glisser lui aussi sa tête entre les cuisses d'Aube. Elle lui facilita l'accès en ouvrant bien ses jambes. Posant son pubis sur sa bouche, elle appuya légèrement et il la lécha. Un délicieux frisson parcourut la fine fleur de sa peau.

Aube caressait Pierre de sa bouche, de ses seins, de ses cuisses. Prenant bien en main le sexe bandé, elle virevolta et se positionna de façon à pouvoir guider sa queue bien droite vers l'entrée de son sexe ruisselant. Elle écarta ses lèvres et fit glisser sans résistance le gland palpitant très loin en elle. Investie tout entière, elle sentit tous les muscles de son corps se raidir et ses poumons se vider.

Pierre, contrôlant tant bien que mal les forces impétueuses de son désir, se laissa posséder par le pouvoir érotique de sa maîtresse, sa souveraine absolue. Aube offrit ses seins à ses caresses passionnées. Des mèches rebelles étaient collées à son front brûlant. Elle ferma les yeux, se concentrant uniquement sur le rythme, les mouvements, la pression. À jouer avec le feu, elle s'embrasa soudainement et Pierre, happé par le courant, ne put contenir plus longtemps le flot d'énergie vitale qui fusa comme d'un volcan en longues secousses puissantes.

Hors d'haleine, Aube se laissa choir sur le lit, à côté de Pierre, poisseux et collant. Une frénésie sexuelle était passée comme une tornade, soulevant tout sur son passage et laissant derrière elle des corps inertes.

— Il fait chaud, dit-elle.

Ils reprirent tranquillement leurs esprits, un peu étonnés de ce qui venait d'arriver. Ils se rhabillèrent et s'occupèrent des bagages et des provisions.

Dehors, il faisait très noir et le ciel, rempli d'étoiles, inspira Aube qui voulut faire un feu et goûter la tranquillité de la nuit.

Munie d'une lampe de poche, elle ramassa des brindilles et quelques branches mortes qu'elle coupa à la longueur désirée avec une hachette. Elle monta ainsi un amas digne des scouts les plus habiles, qu'elle alluma à l'aide d'une écorce de bouleau.

— On dirait que tu as fait ça toute ta vie.

— J'ai passé mon enfance dans le bois, tu sauras ! Enfin, presque, nuança-t-elle. Mes parents possèdent un camping dans les Cantons-de-l'Est, j'ai grandi là.

Pressée de questions, Aube raconta son histoire. Dans les années 1970, ses parents étaient des hippies de la génération du retour à la terre. Avec une douzaine d'autres hippies comme eux, ils avaient acheté une vieille ferme sur un terrain de cent cinquante acres, près de Lawrenceville, dans les Cantons-de-l'Est.

— Ils ont fondé la Commune du Grand Chant, raconta Aube. C'est là que je suis née, le 15 mai 1976, à 5 h 30 du matin. C'est pas un hasard si je m'appelle Aube. La commune n'a duré que quatre ans. Le seul souvenir que j'en garde, c'est une gang d'enfants toujours ensemble. Quand ça s'est terminé, mes parents ont racheté la part des autres et ils ont décidé d'en faire un camping. J'ai passé les vingt premières années de ma vie là. Des feux de camp comme celui-là, j'en ai fait des milliers… des centaines.

— Je m'aperçois que je ne connais rien de toi.

— Il n'y a rien de bien particulier à savoir.

— Je te crois pas. Toi, t'as dû en faire des ravages chez les gars.

— Vraiment pas. La plupart des gars au secondaire étaient trop gênés pour me parler et ceux qui en avaient le courage n'étaient souvent pas les plus intéressants.

— C'était qui, ton premier vrai chum ?

— Mon premier vrai chum s'appelait Gaétan. C'était la vedette de l'équipe de hockey du Cégep de Granby. Je ne me suis jamais autant tenue dans les arénas qu'à cette époque. Je l'aimais, il était drôle, mais à part jouer au hockey et baiser, il n'y avait pas grand-chose qui l'intéressait.

— Moi aussi, j'ai joué au hockey.

— Ah oui ! Étais-tu bon ?

— Non. C'est mon père qui a insisté pour que je m'inscrive. Je n'ai même pas joué une saison au complet, ni marqué un seul but. Mon père s'est tanné et il a saisi la première occasion pour s'en tirer sans perdre la face. Il a profité d'une petite blessure que je m'étais faite, même pas sur la patinoire, pour obtenir un papier du médecin attestant que je ne pouvais plus jouer. Ma carrière s'est arrêtée là.

— C'est pour ça que tu lui en veux tellement ?

— Peut-être, mais aussi pour bien d'autres choses : son attitude à la mort de David, sa façon de traiter ma mère malade. Il l'a carrément abandonnée. Ma mère avait la maladie d'Alzheimer. Vers la fin, elle n'était plus très consciente de la réalité, mais parfois il lui arrivait de vivre des épisodes de lucidité qui duraient quelques minutes ou quelques heures, et pendant lesquels toute sa tête lui revenait. Un jour où j'étais là, elle a vécu un de ces épisodes. On a parlé, c'était comme avant. À un certain moment, elle a demandé à voir mon père. Je l'ai appelé tout de suite. Il a commencé par dire qu'il s'en venait. Puis il m'a rappelé pour me dire qu'il serait retardé. Finalement, il est arrivé deux heures plus tard. Ma mère était déjà repartie. Il a fait exprès pour ne pas venir, j'en suis certain. Il s'en crissait, de ma mère. Depuis ce jour-là, moi, je ne suis plus capable d'entendre dire que c'est le champion du don de soi et du souci de l'autre. Je n'y crois plus. Pendant la maladie de ma mère, il n'a pensé qu'à lui.

*

La journée du lendemain se déroula dans le plus parfait bonheur : ils se baignèrent nus, mangèrent nus, firent la sieste nus. Après un souper à la chandelle, Pierre et Aube, toujours nus, étendus par terre, récupéraient lentement après leurs derniers ébats à la chaleur du poêle.

— Moi qui ai toujours rêvé de faire l'amour sur une peau d'ours devant un foyer en pierre rustique, je suis obligée de me contenter d'une vieille courtepointe et d'un poêle à combustion lente qui chauffe trop, déplora Aube.

— Désolé. C'est tout ce que j'ai pu faire. Mais, en ce qui me concerne, ce n'est pas le poêle qui me donne chaud. Je n'ai pas vraiment l'habitude de femmes aussi passionnées que toi.

— Les autres étaient comment ?

— J'en ai pas eu tant que ça, mais celle que j'ai le mieux connue, Emily, était plutôt froide et pas très engageante.

— Tu ne m'as jamais raconté comment s'était terminée votre histoire.

— On n'a juste pas survécu à la mort de David, avoua Pierre qui ne cacha pas son émotion. On n'a pas été capables de s'aider l'un l'autre. À un certain moment, le seul fait de prononcer le nom de David était devenu tabou. Pour éviter de s'entraîner dans nos abîmes respectifs, on s'est lentement éloignés pour finir par vivre dans des univers parallèles. Un jour, j'ai reçu un courriel de sa part. Elle était à New York en congrès. Étrangement, elle me confirmait une heure de rendez-vous, le nom d'un hôtel dans Manhattan et le numéro d'une chambre. En plus, elle ajoutait des détails croustillants sur les gâteries sexuelles qu'elle me réservait. Je ne comprenais pas, alors j'ai répondu : « De quoi tu parles ? Je suis à Montréal. » Et à partir de là, plus rien. Silence. En relisant son message, j'ai bien compris qu'il ne m'était pas destiné. Son inconscient lui avait joué un sale tour et c'est moi qui avais reçu le courriel. C'est comme ça que j'ai appris l'existence de son amant. Quand elle est revenue à la maison, je n'étais déjà plus là. Je me suis trouvé un petit quatre et demi, meublé chez IKEA. On a divorcé quelques mois plus tard. Je lui en ai d'abord beaucoup voulu, mais on était tellement perdus après la mort de David qu'aujourd'hui, je comprends et je lui ai pardonné.

— Et la sculpture ?

— J'ai commencé après mon divorce, sur la suggestion de mon psy, pour me changer les idées. Mais plutôt que de me sortir David de la tête, ça m'a plongé encore plus profondément dans ma douleur. De façon inconsciente, au début en tout cas, c'est cette douleur-là qui s'exprimait dans mes sculptures. J'en ai fait beaucoup. La plupart du temps, ce n'était pas très intéressant et je finissais par les défaire. D'autres fois, par contre, j'avais l'impression de toucher vraiment là où j'avais mal. J'ai réalisé un jour que les pièces qui me faisaient le plus cet effet étaient aussi celles sur lesquelles je me blessais sans cesse, les plus coupantes, les plus pointues. Quand David est mort, j'ai souvent répété que j'aurais accepté n'importe quand qu'on m'arrache la peau si ça avait pu le sauver. Je pense que, inconsciemment, c'est ce que j'essayais de faire avec ces sculptures-là. Il m'est resté douze œuvres, qui sont devenues très symboliques à mes yeux. Sur chacune, j'ai versé un peu de mon sang. Elles représentent toutes un fragment de la douleur qui m'a transpercé le cœur quand j'ai vu mon fils étendu, mort. En faisant ces œuvres, je me suis extirpé du cœur ces fragments, un à un. Je pense vraiment que ça m'a aidé à survivre.

— Pourquoi tu les caches ?

— Je ne les cache pas, je ne suis juste pas capable de vivre avec.

— Pourquoi tu ne les as pas vendues ?

— Parce que je suis incapable de m'en défaire.

*

Quand il devait aller au centre-ville, Richard se déplaçait toujours en taxi. Ce midi-là, il se fit conduire au journal *La Une*. Arrivé devant l'édifice, il tendit au chauffeur un billet de 20 dollars, qui couvrait le montant de la course, et lui demanda de l'attendre et de laisser tourner le compteur. Il prit l'ascenseur et, à la réception, il demanda à voir Aube Desbiens.

Yves Fradette lui avait demandé de la rappeler, mais Richard tenait à la rencontrer en personne. N'était-ce pas la nouvelle blonde de son fils ? Il voulait la connaître un peu mieux, ce qu'il estimait légitime.

Il souhaitait l'inviter à dîner, mais plutôt que de prendre rendez-vous, il préféra l'invitation de dernière minute, qui est toujours plus difficile à refuser si elle est faite en personne. Voilà pourquoi il était là.

Au bout d'un petit moment, Aube apparut, tout sourire, mais visiblement mal à l'aise et inquiète. Elle n'était revenue que la veille de son escapade « magique » avec Pierre. Pendant ces quelques jours, elle avait dû se rendre à l'évidence : elle était amoureuse. Pierre n'avait qu'un seul défaut, c'était le fils de l'homme dont elle se méfiait le plus au monde.

— J'étais dans le coin, et j'arrive comme ça, spontanément, pour vous inviter à dîner. Je me suis dit : « J'y vais, je verrai bien si elle peut venir, sinon ce n'est pas grave. »

— Je ne sais pas. J'ai déjà mon lunch.

— En fait, j'ai parlé avec le vice-président aux finances de la Fondation Dreaming, et on a quelque chose d'assez emballant à vous proposer pour votre article sur les grands donateurs. Je me disais qu'on pourrait en parler autour d'un bon repas.

Aube faillit demander à Richard de parler moins fort, mais c'eût été suspect.

— De plus, enchaîna-t-il, je me suis rappelé que je vous avais promis un dîner pour le magnifique reportage que vous avez écrit à mon sujet.

— Ah oui ? Je ne me souvenais pas de ça. Ce n'est vraiment pas nécessaire.

— Oui, oui, j'y tiens et c'est aujourd'hui que je remplis ma promesse.

— Je ne sais pas... J'ai beaucoup de travail...

— Je vous ramène au plus tard à 13 h 30. Promis.

Aube ne vit pas comment elle pouvait refuser l'invitation. La situation l'embarrassait, mais d'un autre côté, elle voulait savoir ce que Richard avait derrière la tête.

— Bon, d'accord, annonça Aube. Le temps de prendre mon sac et j'arrive.

À l'extérieur, le taxi attendait toujours. Aube fut impressionnée malgré elle de l'aisance avec laquelle Richard faisait les choses. Ils avaient besoin d'un taxi, il y en avait un là. Tout semblait venir à lui avec une telle facilité.

— Au restaurant *Toqué !*, s'il vous plaît, demanda Richard au chauffeur.

Se tournant vers Aube, il confessa :

— Quand vous avez rencontré Pierre pour le reportage, je lui ai suggéré de vous amener manger chez *Toqué !*, mais il n'a pas voulu. Moi, je ne vais pas me priver du privilège de manger en compagnie d'une aussi belle femme que vous.

Aube sourit, mais elle détestait ce genre de compliment, qui n'en était un que pour celui qui le disait. Richard ne voulait pas se priver du privilège d'être vu en compagnie d'une jolie femme, ce qui était très différent.

Quelques coins de rue plus loin, le taxi stoppa devant le restaurant. Aube descendit la première pendant que

Richard payait le chauffeur. Le temps d'une fraction de seconde, elle songea à foutre le camp pour fuir l'inconfort et la peur de se trahir elle-même.

Richard fit son entrée chez *Toqué!*, ce temple de la gastronomie montréalaise, en saluant le maître d'hôtel par son prénom. Il était à peine midi, mais le restaurant était déjà à moitié rempli. Richard eut le privilège d'indiquer au maître d'hôtel la table qu'il désirait parmi celles encore libres. Les serveurs s'affairaient autour d'eux. Aube commanda le magret de canard et Richard prit le bar rayé, servi avec ratatouille.

Ils papotèrent sur des sujets sans importance tout le long du repas et ce n'est qu'au café que Richard entreprit la véritable conversation.

— Alors, comment c'est être la nouvelle blonde de Pierre?

— C'est un enchantement, reconnut Aube, plus en confiance qu'au début de leur rencontre. Votre fils est vraiment quelqu'un de bien, vous savez.

— Oui, je sais ça. Dommage que j'aie si rarement l'occasion de m'en rendre compte. C'est vrai ce que je disais l'autre jour, Pierre m'en a voulu à mort de vous avoir mis en contact l'un et l'autre.

— Je le comprends un peu. Vous lui avez fait le même coup qu'à moi, ce midi. Vous avez le tour de mettre les gens dans des positions qui les empêchent de vous dire non. C'est ça qui l'a mis en rogne, cette fois-là.

— Il doit vous en raconter des belles sur mon compte…

— Il me parle des choses qui l'ont fait souffrir. C'est tout.

— Je sais qu'il m'en veut, il en veut à son fils, à son ex-femme, au monde entier.

— Ce n'est pas mon impression. Pierre a été blessé et certaines de ses blessures sont encore vives.

— J'ai raté mon coup avec lui. Malgré tous mes efforts, on n'a jamais réussi à s'entendre vraiment. Quand il était petit, ça allait, mais en vieillissant, ça s'est gâté. La mort de David n'a pas aidé les choses. On dirait que quelque chose s'est brisé en lui. Sa vie s'est effondrée. Je me demande même s'il n'a pas sérieusement songé à mettre fin à ses jours. C'est Jason qui a le plus souffert dans tout ça. Pierre préférait David et, après sa mort, il s'est mis à l'idéaliser. Le fossé qui existait déjà entre lui et Jason s'est creusé encore plus. Pierre a toujours eu beaucoup de difficulté à vivre dans le présent...

— Excusez, mais je ne me sens pas très à l'aise de parler de Pierre en son absence. J'aimerais qu'on parle d'autre chose. Vous aviez une proposition à me faire?

— Oui. Vous avez raison, revenons à nos moutons. M. Fradette et moi voulions vous proposer d'organiser un 5 à 7 avec des grands donateurs à la Fondation...

— C'est gentil de votre part, l'interrompit-elle, mais je dois vous dire que j'ai changé mon approche. Je n'aurai plus besoin de rencontrer de grands donateurs pour mon reportage.

— Dommage, dit Richard, qui parut vraiment déçu. De quoi allez-vous parler dans votre article?

— Je ne sais pas encore. En fait, je ne suis pas certaine de pousser l'idée plus loin.

— Ah non? C'est intéressant pourtant. À quels autres organismes vous êtes-vous intéressée?

— Aucun autre, répondit-elle après une courte hésitation.

— Ce sont donc les grands donateurs à la Fondation Dreaming qui vous intéressent?

— Je dois avouer que j'ai été intriguée quand j'ai vu à quel point vous aviez fait des miracles ces dernières années, en augmentant de 7 à 11 millions de dollars le total des dons annuels. Félicitations.

— Merci. C'est ça qui vous a donné l'idée d'écrire un article sur nos grands donateurs?

— En bonne partie. Je trouve que vous faites du beau travail. Ça vaut la peine d'en parler, se justifia Aube.

— Quelles questions auriez-vous posées à M. Clément s'il avait accepté de vous parler? demanda Richard, l'air plus grave.

— Est-ce que je suis en train de subir un interrogatoire? répliqua Aube pour faire cesser le supplice.

— Mais non, mais non. On jase. C'est normal que je m'informe, affirma candidement Richard. C'est vrai qu'on a réalisé de belles performances. La générosité, vous savez, c'est comme un muscle, ça se travaille. Mais je ne suis pas le seul responsable. On est toute une équipe et, tous les jours...

Aube décrocha vite du bla-bla officiel de Richard, même si elle feignait d'écouter. De deux choses l'une : Richard était innocent et ne savait rien ou il savait tout et jouait à l'innocent.

— Je pense que vous faites un travail remarquable à la Fondation, poursuivit Aube, mais je dois vous avouer que j'ai fait de petites découvertes étonnantes en m'intéressant à vos grands donateurs. Dans mon métier, vous savez, les détails sont d'une grande importance. Après mon appel téléphonique à M. Clément, j'étais curieuse de voir à quoi ressemble la maison de quelqu'un qui a les moyens de donner de sa poche 75 000 dollars à un organisme de charité. Imaginez ma surprise de me retrouver devant une maison bien normale dans un quartier populaire de la banlieue. Je sais que ce sont les gens ordinaires qui donnent le plus aux organismes de charité, mais je suis étonnée de voir à quel point certains sont généreux. J'ai aussi visité le site internet de l'association Les Petits Pas. Ça vous dit quelque chose?

Aube perçut un éclair d'affolement traverser le regard de Richard.

— Ouais, vaguement.

— C'est une toute petite association, mais vous la connaissez sûrement, je vous ai vu en photo sur son site internet. Vous étiez au marche-o-thon de Sorel en 2009. J'ai été surprise d'apprendre qu'un petit organisme comme Les Petits Pas avait versé plus d'un million de dollars à la Fondation en trois ans.

— Ah oui… Je m'en souviens… C'est Adeline, elle vient de Sorel. Toute sa famille était là, bredouilla Richard sous le coup de la panique.

Il venait de comprendre les vraies raisons pour lesquelles Aube s'intéressait à la Fondation. Toute cette histoire de reportage, c'était de la frime. En fait, elle menait une enquête et semblait très bien informée.

Survint alors un étrange silence dans la conversation. Aube avait déballé son sac, et Richard n'avait pas su maîtriser ses réactions et avait trahi sa peur. La moindre parole supplémentaire, de l'un comme de l'autre, risquait d'être de trop. Ils comprirent tous les deux le petit jeu auquel ils jouaient. Un genre de «Je te tiens, tu me tiens, par la barbichette», mais qui disait plutôt: «Je te surveille, tu me surveilles et nous nous surveillons en train de nous surveiller. Gare à nous.»

— Oh là là! Le temps file, enchaîna Aube pour faire distraction.

Elle devait filer. Comme elle n'était pas si loin du bureau, elle prétexta un ardent désir de rentrer à pied au journal. Elle quitta donc Richard, heureuse que l'épreuve se termine enfin.

Richard, tout miel, la salua à son tour. Cette femme devenait dangereuse. Lui qui voulait à tout prix éviter le scandale voyait en Aube l'épée au-dessus de sa réputation d'honnête homme. Il fallait l'arrêter.

Depuis le début, Richard doutait que *La Une* soit derrière cette histoire. Aube agissait seule et ses patrons, s'ils savaient, n'approuveraient sûrement pas.

Au moment où elle sortit du restaurant, Richard téléphona à son ami Clovel Garneau, l'éditeur de *La Une*. Sur un ton un peu grave, presque outré, Richard lui posa directement la question : « Pourquoi *La Une* mène-t-elle une enquête sur la Fondation Dreaming Québec ? »

L'éditeur faillit s'étouffer et nia vigoureusement. Il promit de tirer la question au clair et, moins d'une demi-heure plus tard, il rappela Richard pour s'excuser. Il s'agissait d'une initiative personnelle de la journaliste. *La Une* n'endossait pas cette démarche. Aube Desbiens s'était engagée à tout arrêter. « Au nom du journal et de l'équipe rédactionnelle, assura l'éditeur, je veux t'offrir mes excuses, mon cher Richard, ainsi qu'à la Fondation. »

*

Pierre avala sa gorgée de café de travers quand il vit que son père l'appelait.

— Salut, Pierre, ça va ?

— Oui, oui, et toi ?

— Bien, bien.

— Et ta santé ?

— Ça va. Écoute, ce n'est pas pour ça que je t'appelle. Je me sens un peu mal de te parler de ça, mais imagine-toi donc que je suis allé dîner ce midi avec ta nouvelle blonde. Je vais t'avouer franchement que je ne sais plus trop quoi penser d'elle. Est-ce que par hasard tu saurais si elle fait enquête sur la Fondation ?

— Je n'en sais rien, affirma Pierre, ce qui était à demi vrai. Qu'est-ce qui te fait penser ça ?

— Elle m'a posé de drôles de questions. On dirait qu'elle cherche des bibittes.

— Je ne sais pas. Elle ne me raconte pas tout.

— Je m'inquiéterais si j'étais toi. Aube Desbiens fait une enquête sur les grands donateurs de la Fondation.

— OK. En quoi ça me concerne ?

— Ça ne te dérange pas, toi, que ta blonde enquête sur la Fondation et peut-être même sur moi, ton père ?

— Ça dépend. As-tu quelque chose à te reprocher ?

— Bien sûr que non, mais elle a l'air de penser que oui. Je ne sais pas où elle a pris ça, mais elle a l'air de croire que je sais des choses ou même que je baigne dans des magouilles. Ses insinuations n'étaient pas très subtiles. Si j'étais toi, je me poserais de sérieuses questions. Ça te place dans une situation très délicate, mon pauvre Pierre. Qu'est-ce que tu vas faire ?

— Comment ça, qu'est-ce que je vais faire ?

— Cette fille se sert de toi, c'est clair. Tu lui as probablement déjà raconté toutes sortes d'horreurs sur mon compte. Pour une journaliste comme elle, c'est de l'or en barre.

— On ne parle jamais de toi, répliqua Pierre sans broncher. Tu n'as pas à t'en faire. Aube ne se sert pas de moi.

Il l'affirma avec vigueur, mais était loin d'en être certain. Elle n'avait pas de temps à perdre, mais de toute évidence, elle continuait à enquêter.

— Parle-lui, pose-lui la question.

— Bon ! Est-ce que c'est tout ce que tu as à me dire ? Parce que si c'est le cas, je vais te laisser. Je n'ai pas très envie d'en entendre plus.

Malgré son attitude fermée, Pierre allait bien sûr poser la question et le plus tôt serait le mieux.

*

En quittant le restaurant, Richard se rendit dans les bureaux de la Fondation. Il discuta avec quelques-uns des employés sur place avant de se rendre dans le bureau d'Yves Fradette avec l'assurance de celui qui est en parfaite maîtrise de lui-même et de la situation.

— J'ai fait ma petite enquête et je pense vraiment qu'Aube Desbiens faisait une recherche pour un article, mentit Richard. Je dis « faisait » parce qu'elle a abandonné son projet.

Richard mentait avec facilité, car il était convaincu qu'Aube n'interviendrait plus dans leurs affaires sans risquer de s'attirer elle-même de gros problèmes.

— Tout danger est écarté, affirma Richard. Pour l'instant du moins...

— Qu'est-ce que tu veux dire?

— Cette histoire montre à quel point on est vulnérables, Yves. Il suffit que quelqu'un fouille un peu pour se rendre compte que, depuis trois ans, l'augmentation est presque surhumaine. On presse trop le citron. Ça n'a pas de bon sens, plaida Richard.

— Tu t'en fais pour rien. C'est vrai que l'augmentation est élevée, mais tout s'explique encore. Les apparences sont sauves.

— Peut-être, mais la limite est atteinte. Moi, je pense que maintenant que tout le monde a bien profité de notre petite combine, il faut trouver une façon de tout arrêter ça en douce.

— Voyons, Richard! répondit Fradette. Tout arrêter, tu n'y penses pas! Sais-tu combien de personnes sont impliquées? C'est une grosse machine! Je pense vraiment que tu t'inquiètes pour rien. Fais-moi confiance.

Tout le problème était là. Richard n'avait plus le temps de faire confiance. Il fallait tout arrêter maintenant.

*

Aube s'était versé un verre de vin blanc et attendait, chez elle, l'arrivée de Pierre. À son ton vraiment pas chaleureux au téléphone, elle devina qu'il voulait lui parler de son père. Il se pointa un peu après 19 heures, distant, refusant la bière et le verre de vin qu'elle lui offrit. Il préféra même rester debout, dans l'entrée de l'appartement.

— J'ai parlé à mon père. Il prétend que tu mènes une enquête sur lui. Je pensais que tu n'avais pas de temps à perdre avec ça?

— Je ne fais pas d'« enquête » sur ton père. J'ai reçu des informations que j'ai simplement vérifiées, nuance.

Elle se garda bien de préciser que toutes ces informations étaient vraies.

— Il m'a dit que t'avais téléphoné à du monde, poursuivit Pierre, que tu posais de drôles de questions, que t'avais l'air de chercher des bibittes. Tu m'as menti ?

— Je n'ai pas menti, Pierre. Je te le répète, je ne fais pas d'enquête sur ton père. J'ai peut-être poussé un peu loin mes recherches sur les grands donateurs à la Fondation Dreaming, admit-elle, mais c'est terminé.

— Qu'est-ce que tu veux dire par «j'ai peut-être poussé un peu loin mes recherches » ?

— Tu veux vraiment le savoir ?

— Oui, raconte.

Aube lui raconta donc en détail sa deuxième rencontre avec M. Trench-coat, les noms de donateurs qu'il lui avait refilés, ses recherches sur Internet, sa conversation avec Jean Clément, l'association Les Petits Pas, tout.

— Je ne dis pas que ça ne se peut pas que Jean Clément soit tellement généreux qu'il fasse un don équivalent à une année de salaire, expliqua Aube, ou que Les Petits Pas organisent des marche-o-thons quasi miraculeux. Je n'ai aucune preuve pour affirmer le contraire, mais avoue que tout ça est un peu louche.

— Ça me place dans une position impossible ! Je suis le fils du gars sur qui tu enquêtes.

— Pour la ixième fois, Pierre, je n'enquête pas sur ton père, je m'intéresse un peu à la Fondation Dreaming Québec.

— Ça revient au même. Qu'arriverait-il si tu trouvais une information incriminante ?

— …

— Tu vois ? Toi-même tu ne sais pas où tout ça peut te mener. Arrête de dire que tu n'enquêtes pas sur mon père. Avec ce que tu viens de me raconter, on peut même dire que tes recherches avancent très bien… Je pense que ce serait mieux qu'on arrête de se voir.

Aube ne l'avait pas vue venir celle-là. Elle mesura alors l'immensité du vide qui s'ouvrirait dans sa vie si Pierre partait maintenant.

— J'aurais beaucoup de peine. Je me rends compte que je suis très amoureuse de toi. Je n'ai pas envie de te laisser partir.

Sur ces mots, elle l'embrassa fiévreusement. Pour la première fois, elle lui avait avoué son amour. Pierre lui rendit son baiser, mais se ressaisit et s'écarta doucement.

— Moi aussi, je suis très amoureux de toi, mais tu ne peux pas enquêter sur la fondation à laquelle mon père est si étroitement associé sans risquer de tout détruire.

— Je te rassure. Je me suis fait taper sur les doigts au journal. *La Une* ne souhaite pas soulever de polémique autour de la Fondation Dreaming. Si je continue, je m'expose à des sanctions disciplinaires. J'ai promis d'arrêter. Mais qu'est-ce que je fais si M. Trench-coat rapplique et me transmet d'autres informations ?

— Prends une photo et appelle la police. C'est un harceleur. On ne sait pas, il est peut-être même dangereux.

Aube n'était pas du tout convaincue, mais elle accepta de faire ce que Pierre lui demandait. Avait-elle le choix ?

*

Richard, dans son bureau, semblait dormir dans sa grosse chaise capitonnée. Son esprit voltigeait joyeusement depuis qu'il avait pris un deuxième comprimé quelques heures à peine après le premier. La maudite douleur revenait maintenant plus souvent et il devait forcer la dose pour obtenir un soulagement, ce qui le mettait dans un état second très agréable. Bref, Richard était *high* pas à peu près et il adorait cette sensation.

*

Il ne se passa rien pendant la semaine qui suivit, mais un soir, alors qu'Aube allait quitter le journal, elle trouva dans son casier un paquet emballé de papier brun avec une petite étiquette à son nom. Curieuse, elle l'ouvrit immédiatement. Il s'agissait d'un document boudiné, d'au moins cinq cents pages. Sur la couverture, elle lut le titre : *Associations génétiques entre les nucléotides polymorphes et les lipoprotéines oxydées de basse densité dans le sang ombilical et risque de cancer du cerveau chez les nouveau-nés.*

Elle relut le titre trois fois sans vraiment le comprendre mieux. Elle feuilleta rapidement quelques pages. Le document, aux allures des plus rébarbatives, n'était qu'un long texte dense, jalonné de tableaux et de schémas compliqués. Pourquoi lui avait-on apporté ce document ? Elle consulta la page de garde, où la réponse lui sauta au visage comme un diable à ressort quand elle lut : « Une étude financée par la Fondation Dreaming Québec pour les enfants malades et réalisée par la Société Bernard. » C'était M. Trench-coat qui la relançait de nouveau.

5

Richard, les jambes allongées, regardait défiler les images du bulletin de nouvelles de 18 heures, les yeux dans le vague, un peu comateux. Il venait d'avaler un comprimé, et les catastrophes du monde et des hommes n'avaient plus d'emprise sur lui. Heureusement, il découvrait l'usage des drogues peu de temps avant de mourir. S'il avait vécu plus jeune les *high* qu'il atteignait maintenant, sa vie aurait été détruite.

— Barbara va venir vivre ici, annonça-t-il à Adeline, allongée dans le fauteuil voisin. Je lui ai parlé aujourd'hui, elle arrive dans deux semaines. Je l'ai réservée pour les six prochains mois.

Barbara était cette infirmière haïtienne qui avait soigné Richard trois ans plus tôt. Les deux femmes s'étaient moyennement bien entendues la dernière fois.

— Là, Richard, tu m'en demandes pas mal. Je n'ai pas du tout envie d'avoir Barbara dans la maison. Tu te rends compte de l'ambiance qui va régner ? Ça ne peut pas marcher.

— Si tu me demandes de choisir, j'aime autant te le dire, c'est Barbara.

— Mais non, ce n'est pas ce que je voulais dire, voyons.

— Peut-être… mais c'est quand même une bonne idée. Tu as encore ton condo, à ce que je sache, lui rappela Richard.

— Oui, mais il est loué, opposa Adeline.

— Tu peux quand même le récupérer. Offre un bon dédommagement à tes locataires. Je vais payer, pas de problème.

— Voyons, Richard ! Qu'est-ce que tu me demandes là ?

— Je ne te mets pas dehors, je ne demande pas le divorce. Je veux simplement qu'on cesse d'habiter ensemble. Prends le temps qu'il faut, il n'y a pas d'urgence.

Adeline demeura bouche bée. Richard fut aussi étonné qu'elle de la tournure de la conversation. Il n'y avait pas réfléchi plus tôt, mais sa proposition spontanée lui semblait bien sensée, malgré la drogue.

*

Pour éviter toute ambiguïté, Aube téléphona à Pierre le soir même.

— Es-tu occupé, là, maintenant ? demanda-t-elle, tout excitée. Faudrait que tu viennes… tout de suite. J'ai quelque chose à te montrer… Je t'attends…

Aube s'était bien gardée d'en dire plus et de mentionner M. Trench-coat de peur d'effaroucher Pierre.

Lui ne perdit pas une minute. Il sauta dans la douche. Ensuite, il enfila directement ses vêtements du lendemain, ferma toutes les lumières et sauta dans un taxi. Aube le réclamait, il n'allait pas se défiler.

Quand il arriva, ils ne parlèrent pas beaucoup. Aube se laissa prendre par la fougue de Pierre et ils firent l'amour, spontanément, comme ils en avaient maintenant l'habitude dès que l'occasion se présentait. Aube ne semblait jamais à court de trouvailles et lui-même déployait des trésors d'imagination quand venait le temps de faire vibrer le corps de sa partenaire.

Quand ils eurent repris leur souffle, elle alluma la petite lampe à côté de son lit, trop heureuse d'arriver enfin là où elle voulait en venir. Elle ramassa par terre le volumineux document et le tendit à Pierre en disant :

— J'ai reçu ça cet après-midi.

Pierre lut le titre : *Associations génétiques entre les nucléotides polymorphes et les lipoprotéines oxydées de basse densité dans le sang ombilical et risque de cancer du cerveau chez les nouveau-nés.*

Il n'y comprenait rien.

— C'est M. Trench-coat qui m'a apporté ça. Tu vois, montra Aube sur la page de garde, c'est une étude financée par la Fondation Dreaming Québec et réalisée par la Société Bernard. J'ai cherché en t'attendant et j'ai découvert que la Société Bernard avait reçu 5 millions de dollars en subvention de la Fondation Dreaming, l'an dernier. C'est un gros client.

— Je connais cette société de nom. Ma belle-mère était mariée à un de ses cadres quand elle a rencontré mon père. Mais qu'est-ce que M. Trench-coat vient faire là-dedans ?

— Il essaie de me faire comprendre quelque chose.

— Comment peux-tu en être certaine ?

— La réceptionniste me l'a décrit, ça correspond, annonça-t-elle, convaincue. C'est M. Trench-coat lui-même qui l'a livrée ! Tu veux du thé ?

Pendant quinze bonnes minutes, assis côte à côte, nus dans le lit, en sirotant leur thé, ils feuilletèrent le document à la recherche d'indices. Chacun lisait tour à tour des bouts du texte et, à part le fait qu'ils n'y comprenaient rien, l'étude semblait normale.

— Je ne vois rien de particulier.

Pierre voulut en avoir le cœur net et poussa plus loin sa recherche. Il revint avec son portable et, reprenant l'étude, il se mit en tête de déchiffrer le titre. Il comprenait à peu près chaque mot, sauf « nucléotides polymorphes » et « lipoprotéines oxydées de basse densité ». En quelques minutes de recherche, il comprit qu'il s'agissait de biologie moléculaire. Il trouva des sites spécialisés où il en était beaucoup question.

Il trouva également le nom du Dr Ulrich Baker, un chimiste hongrois, professeur à l'Université de Varsovie et à l'Université Harrisburg, qui avait dirigé l'étude. Un chercheur apparemment sérieux, mais l'étude en question n'était mentionnée nulle part dans ses notes.

— Plus je fouille, constata Pierre, plus je pense que tu te trompes. Tu es convaincue que ton informateur essaie de te dire quelque chose, mais à mon humble avis, c'est juste une étude qui t'a été livrée par erreur. Elle devait être destinée à un de tes collègues du cahier Santé ou Science et techno, mais quelqu'un s'est trompé dans ses listes et c'est toi qui l'as reçue. Ça se peut.

— Non, affirma Aube avec aplomb. C'est lui et, oui, il veut me dire quelque chose. Je vais finir par comprendre.

— Et qu'est-ce que tu vas trouver ? Un message secret ? Un code ? Peut-être qu'il faut lire le document à l'envers, dans le miroir ou sous une lumière ultraviolette ? se moqua Pierre.

— T'es pas drôle…

— Excuse-moi, mais je n'en reviens pas. T'avais pas promis d'arrêter ton enquête sur la Fondation Dreaming, toi ?

— Je n'enquête pas… j'essaie de comprendre, c'est tout. Quand même je prendrais une semaine pour examiner le document, qu'est-ce que ça change ? Je ne fais de mal à personne.

— Oui ! Tu cherches des bibittes à mon père. Ce document-là, tu devrais le rapporter au journal et dire que tu l'as reçu par erreur. Tu le redonnes à la réception et tu t'en laves les mains.

— Voyons, Pierre…

— Tu agis exactement comme si tu étais convaincue que M. Trench-coat dit la vérité. Tu le crois quand il laisse planer des accusations au-dessus de la tête de mon père, mais tu n'as pas de preuves. Tu espères en trouver dans ce document-là, c'est ça ?

— Tu te trompes, avança Aube en fixant Pierre droit dans les yeux. Oui, je suis convaincue qu'il se déroule des activités illégales à la Fondation Dreaming, mais c'est de ça que je veux la preuve, pas de la culpabilité de ton père.

— Penses-y. Si un scandale éclate, c'est certain qu'il va être éclaboussé. Qui risque d'en souffrir le plus ? Nous deux ! Il s'agit de mon père, Aube, et toi, tu es ma blonde, nota Pierre. C'est une situation impossible. Il n'y a que toi qui peux décider : ou tu renonces à ton enquête et tu passes le dossier à quelqu'un d'autre, ou tu continues à fouiller l'affaire, mais, dans ce cas-là, oublie-moi.

— Mais, Pierre…

— Il n'y a pas de « Mais, Pierre »… Ah, puis fais donc ce que tu veux, conclut-il rageusement. Moi, je ne m'en mêle plus.

Il se leva, se rhabilla et partit sans l'embrasser.

Aube le regarda partir, désolée. Cette scène, leur première vraie dispute, lui brisa le cœur. Devrait-elle vraiment choisir ? Pouvait-elle choisir ? Avait-elle le pouvoir de tout laisser tomber et de faire comme si rien ne s'était passé ? Non. Elle refusa de se laisser abattre et se sentit même pressée par les circonstances. Plus vite elle s'y mettait, plus vite elle découvrirait la vérité. Elle déciderait de la suite après.

*

Le lendemain, Pierre se leva d'humeur maussade. Les mots de la veille résonnaient encore dans sa tête. Il aurait voulu remonter le temps, organiser la réalité autrement, mais voilà, ce qui était dit restait dit. La suite des choses n'était plus de son ressort.

Pour tenter de sauver sa fin de journée, il se rendit à l'atelier afin de travailler un peu. Une fois sur place, non seulement l'idée ne l'excita pas, mais elle le déprima davantage.

C'est à ce moment, peut-être le pire, que P-É choisit de lui parler de sa lettre de recommandation. À quelques reprises, ils s'étaient croisés sans que Pierre s'informe de la lettre. Il avait eu le courage de la lui demander, mais n'avait pas eu celui d'insister et encore moins celui de le presser à l'écrire. De toute façon, après sa soirée de la veille, il n'était plus certain de vouloir participer au concours.

— Salut, mon « Pete ». Je viens trinquer avec toi, il me semble que ça fait longtemps, dit P-É en posant une bouteille de Jack Daniel's et deux verres dépareillés sur l'établi.

Il versa une rasade dans chaque verre, en tendit un à Pierre et leva le sien.

— À l'amitié.

— À notre amitié, rectifia Pierre avant de vider son verre en grimaçant.

P-É fit cul sec lui aussi.

— Maintenant que notre amitié est sauve, proclama ce dernier, buvons à... à l'art.

— Aux artistes ! rectifia encore une fois Pierre, que l'alcool rendait plus audacieux.

Il reprit la bouteille et versa une deuxième rasade dans chaque verre en disant :

— Toi, t'es venu me parler de la lettre que je t'ai demandée. Tu as changé d'idée, c'est ça ?

— Pas du tout, mais je ne te cacherai pas que j'ai beaucoup réfléchi. Ce que je vais te dire, je te le dis en toute amitié. Ça fait sept ans qu'on se connaît. Avant de te rencontrer, je n'avais jamais vu quelqu'un s'arracher les tripes comme toi pour exprimer sa souffrance. T'étais tellement intense. Tu t'en souviens? T'en avais gros sur le cœur, mais t'as plongé et je t'ai beaucoup admiré pour ça. C'est difficile d'entreprendre une démarche artistique comme la tienne, en explorant son propre mal de vivre. Ce fut un voyage périlleux, mais il en est sorti des œuvres extraordinaires, puissantes, qui m'ont confirmé ton talent et ta sensibilité. Mais t'as pas fini la job, mon pauvre Pierre. T'as pris le fruit de ce travail et, plutôt que de t'en libérer en vendant tes œuvres, tu l'as caché. Ça te faisait encore trop mal, t'avais encore trop peur. Mais depuis, ces œuvres-là sont devenues comme un genre de bouchon qui t'empêche d'approfondir ton talent. Parce que tu as peur de ce qui pourrait arriver ensuite, tu t'amuses maintenant à faire de la soudure. C'est devenu ton *hobby*, comme dirait Denise.

— Il me semblait aussi que DS était là-dessous.

— Je vais faire comme si je n'avais pas entendu. C'est vrai que je lui ai parlé, mais je suis capable de penser par moi-même. Je n'ai pas besoin d'elle. Notre conversation m'a quand même fait réfléchir et, pour être très franc, je me suis interrogé sur les raisons qui te poussent à participer à ce concours-là. Je veux que tu répondes franchement: es-tu plus excité par l'idée d'aller passer deux mois à New York avec ta blonde ou par l'idée de passer deux mois à en apprendre plus sur l'art avec un grand maître de la sculpture contemporaine allemande? Si tu me dis que c'est pour apprendre, je te signe une lettre ce soir. Je pense vraiment que tu as ta place là. Mais si tu me dis que tu veux triper avec ta blonde, j'ai un problème à t'aider à obtenir une bourse du Haut-Secrétariat. Tu comprends ça?

— Bien oui, t'as raison, admit Pierre. Je ne sais pas pourquoi je participe. Très franchement, c'est pour triper avec Aube, je pense. Je me suis laissé prendre par son enthousiasme. Mais tu vois, je ne serai probablement même plus avec elle à l'automne, alors cesse de te casser la tête. Je n'aurai pas besoin de ta lettre.

— Ah oui, ça va pas? demanda P-É, forçant un peu la confidence.

— C'est compliqué, répondit Pierre, accablé. Je t'en reparlerai, promis.

Pierre se consolait à l'idée qu'en déchargeant P-É de son engagement de lui écrire une lettre, il lui évitait de s'associer de trop près à un Desgroseillers, un nom qui serait bientôt pestiféré.

— Je trouve ça dommage que tu n'insistes pas pour avoir ma lettre. Je le vois, moi, l'artiste que tu n'as pas encore le courage de devenir. Ma seule consolation, c'est que tu ne pourras pas toujours l'éviter.

*

Dès le lendemain, en rentrant du travail, Aube plongea dans le texte, bien résolue à trouver le secret de l'étude, même si elle devait la lire au complet. Elle s'installa au salon, sa tablette électronique à portée de main et branchée à tous les dictionnaires scientifiques et médicaux en ligne.

Au fil de sa lecture, elle déchiffrait péniblement des bouts de texte. Parfois, des phrases complètes lui échappaient et elle perdait beaucoup de temps à chercher le sens des mots. Le premier soir, elle s'arrêta à la page 20, épuisée. Le lendemain matin, elle reprit sa lecture en tentant moins de comprendre le document que de chercher des incohérences. À la page 39, elle eut soudainement une impression de déjà-vu. En revenant en arrière, elle découvrit que le texte de la page 2 était exactement le même que celui de la page 39.

Excitée comme une puce, elle vérifia la suite et découvrit que le même texte de trente-huit pages se répétait quatorze fois. Il était accompagné de graphiques et d'inter-titres différents pour donner l'illusion d'un rapport d'environ cinq cents pages, bien étoffé, mais l'étude était bidon.

Constatant avec effroi qu'elle s'était mise en retard, Aube partit en trombe. En chemin vers le métro, elle tenta de comprendre ce que cela voulait dire. Que vou-lait lui dire M. Trench-coat? Il lui avait fait remarquer que des sommes d'argent douteuses entraient à pleine porte à la Fondation Dreaming. Il fallait bien que ceux qui les avaient mises là puissent les récupérer. Quoi de mieux que de financer, à grands frais, des études bidon?

Elle prenait conscience, avec crainte et excitation, de la bombe qu'elle trimbalait dans son sac. Ce document confirmait que la Fondation Dreaming Québec avait payé pour une fausse étude.

Quelques mois plus tôt, elle avait eu à écrire un article sur les crimes économiques et avait beaucoup lu sur le blanchiment. Un expert lui avait même expliqué certains des mille et un «trucs» imaginés par les malfaiteurs pour recycler les fruits de la criminalité. À la Fondation, l'argent entrait sous forme de généreux legs de la part de dona-teurs prête-noms et ressortait sous forme de rondelettes subventions à des centres de recherche complices qui pro-duisaient des études bidon.

L'argent passait ainsi à la lessive et retrouvait toute sa blancheur originelle et même un peu plus, car la cause des enfants malades donnait de la noblesse à tous ces échanges malveillants.

Aube était maintenant persuadée que la Fondation Dreaming était infiltrée par une organisation criminelle quelconque. Des criminels de haut vol, offrant toutes les apparences de l'honnêteté, comme Yves Fradette, pro-fitaient sans vergogne de la grande notoriété et de la noblesse de la cause des enfants malades.

Parvenue à la station Mont-Royal, la suite des choses lui semblait claire. Elle allait rencontrer ses patrons et leur exposer le dossier. La preuve était irréfutable, ils allaient comprendre. Le journal devait sortir la nouvelle.

Aussitôt cette idée en tête, elle eut un doute. Elle comprenait le stratagème, mais serait-elle capable de le prouver? Parviendrait-elle à convaincre qui que ce soit de l'existence d'une *gimmick* avec pour seule preuve un document falsifié et beaucoup de déductions et d'intuitions personnelles?

Arrivée à sa station du centre-ville, elle se rendit compte qu'aller voir ses patrons pour leur exposer sa découverte comportait des risques. Elle avait outrepassé un avertissement officiel de son éditeur et, s'il n'achetait pas son histoire, elle risquait gros et pouvait même perdre son emploi.

En sortant dans la rue, Aube n'était plus certaine de rien et la question s'embrouilla davantage quand elle pensa à Pierre. Faire éclater un scandale équivalait à saborder sa relation avec lui. Une relation de plus ou de moins sacrifiée à l'autel de sa carrière, quelle différence cela pouvait bien faire? Mais était-elle prête aujourd'hui à sacrifier Pierre? La réponse lui apparut en lettres de feu: NON!

En entrant au journal, elle comprit que la seule autre possibilité était de consulter l'unique personne capable d'agir sur la situation: Richard Desgroseillers lui-même. Depuis leur dîner, Aube était convaincue que Richard connaissait l'existence du stratagème. Quel rôle jouait-il? Que savait-il vraiment? Elle n'en avait aucune idée, mais allait bientôt l'apprendre.

Elle sortit de l'édifice du journal, trouva son téléphone et composa son numéro.

— Bonjour, monsieur Desgroseillers… Aube Desbiens.

*

Adeline Simard se préparait avant de partir au travail. Penchée au-dessus du comptoir de la salle de bain, elle finissait de se maquiller. Élégante, comme tous les matins, elle n'avait pas beaucoup à faire pour mettre en valeur sa grâce naturelle, ni à se pomponner bien longtemps. Un joli tailleur, quelques bijoux, un peu d'ombre à paupières et du rouge à lèvres suffisaient.

Elle ne prêta aucune attention à la sonnerie du téléphone de Richard jusqu'à ce qu'elle l'entende répondre : « Oui… Bonjour, madame Desbiens… Qu'est-ce que je peux faire pour vous ? » Elle devint alors très attentive, d'autant plus qu'il se mit à parler tout bas. « Ce midi ? Oui… J'peux vous demander pourquoi ? D'accord… Oui, je connais l'endroit… À plus tard. »

Quand il eut raccroché, Adeline sortit de la salle de bain, l'air de rien. Elle vint l'embrasser sur la joue et lui souhaiter une bonne journée. Dans sa voiture, elle attendit d'être hors de vue de la maison pour prendre son téléphone portable et composer un numéro préprogrammé.

— Bonjour, Yves, Adeline Simard à l'appareil. Tu m'as demandé de t'appeler si je notais quelque chose. Richard rencontre Aube Desbiens ce midi. Je ne sais pas où, mais ça semble l'inquiéter. À mon avis, il se passe quelque chose.

*

Plus Richard s'approchait du lieu de rendez-vous avec Aube Desbiens, plus son inquiétude augmentait. Ses démarches auprès de Clovel Garneau et ses mises en garde à Pierre n'avaient été que des coups d'épée dans l'eau. La journaliste avait continué à enquêter et il redoutait maintenant ce qu'elle allait sortir de son chapeau.

Richard observa Aube, assise sur un banc du square Phillips, derrière le monument dédié à Édouard VII. Elle semblait nerveuse et ses traits témoignaient de son inquiétude. Richard n'y vit rien de bon. Il prit place à côté d'elle. Aube ne le fit pas languir plus longtemps et entra dans le vif du sujet.

— Je veux d'abord vous dire que ni mes patrons ni Pierre ne sont informés de ma démarche d'aujourd'hui. Vous êtes la seule personne à qui je peux confier ce que je sais et ce que j'ai appris à propos des malversations qui ont cours à la Fondation.

— Vous vous méprenez. À ma connaissance, il n'y a aucune malversation en cours à la Fondation.

— Monsieur, s'il vous plaît, ne me prenez pas pour une idiote…

— Si vous voulez, je vous montre nos livres comptables, n'importe quand. Vous verrez, tout est réalisé dans les règles de l'art.

— Je n'ai aucun doute sur l'exactitude de vos livres comptables. Mes soupçons portent plutôt sur ce genre de document, dit Aube en sortant triomphalement de son sac l'épais rapport de recherche. En apparence, expliqua-t-elle, ça ressemble à une étude sérieuse, mais en réalité, c'est du bidon. Je ne sais pas combien la Société Bernard a reçu pour cette étude-là, mais la Fondation n'en a pas eu pour son argent, c'est certain.

— Qui vous a donné ce document ? demanda Richard, devenu blême.

— Je ne sais pas, c'était dans mon casier au journal. Ça vous dit quelque chose ?

— Qu'est-ce que ça devrait me dire ? répondit Richard, qui jouait mal la comédie.

— Monsieur Desgroseillers, cessons de jouer. Je crois que vous savez exactement de quoi je parle quand je dis « malversations ». Vous savez que ça va trop loin. Si j'ai reçu ce document, c'est que quelqu'un, quelque part, cherche à déclencher un scandale. Vous êtes la seule personne qui peut intervenir pour tout arrêter. Dites-moi la vérité !

Richard prit quelques instants pour retrouver son sang-froid. Aube avait raison. Tout menaçait de s'effondrer et lui avec. Il ne se sentit plus la force de nier l'évidence.

— D'accord. Vous avez raison, dit-il à voix basse. Je sais tout, mais je peux vous jurer que je n'en ai tiré aucun bénéfice personnel. Pas un sou ! Je l'ai fait uniquement pour les enfants. Dans toute cette opération, la Fondation reçoit sa part au passage, ce qui représente beaucoup d'argent. C'est de l'argent sale, mais qui soulage quand même les enfants malades. C'est uniquement pour ça que j'ai accepté de participer.

Aube reconnut une inflexion de voix chez Richard qui lui rappela soudainement Pierre et elle se troubla.

— Le jour où le scandale éclatera, personne ne vous croira. Quoi que vous disiez, vous deviendrez un paria, comme tous les autres magouilleurs qui sont pris la main dans le sac et qui clament leur innocence. Si vous n'agissez pas maintenant pour faire cesser tout ça, vous coulerez avec le bateau et la vie de tout le monde autour sera gâchée.

— Je veux que ça cesse. Je suis intervenu déjà. Je l'ai dit.

— Et alors ?

— Alors rien. Il faut du temps. Mais le document que vous m'apportez là peut être utile. Quand ils vont avoir la preuve qu'il y a une fuite, peut-être qu'ils vont comprendre que c'est rendu trop dangereux. Qu'on risque d'être brûlés.

— Est-ce que je comprends que vous voulez repartir avec ? Il n'en est pas question. C'est la seule preuve que je possède.

— Une preuve ? Ce document ne prouve rien.

— Peut-être, mais c'est la seule chose réelle qui peut expliquer l'existence d'un stratagème, si mince que soit cette preuve pour l'instant.

— Je ne sais pas quels sont vos plans, mais je vous implore de ne rien faire pour l'instant. Vous ne pouvez en parler à personne. Moi, de mon côté, je vais faire tout ce que je peux pour que le stratagème cesse sans créer de scandale, mais j'ai besoin de temps. Au moins quelques semaines, peut-être quelques mois.

Aube n'avait pas l'intention de faire quoi que ce soit avec le document, surtout pas de créer un scandale. Mais ça la rassurait de l'avoir en sa possession. Ça lui éviterait de passer pour une folle si jamais elle devait s'expliquer sur toute cette affaire.

Elle croyait Richard quand il affirmait vouloir mettre un terme au stratagème. Elle l'avait prévenu, à lui d'agir.

À voix basse, il lui demanda d'attendre son appel avant de faire quoi que ce soit. Il partit en se cachant presque le visage. Cette attitude de conspirateur déplut à Aube au plus haut point, comme si elle se trouvait maintenant dans le coup, mêlée à la magouille. Avait-elle fait une gaffe en se tournant vers Richard?

En lui remettant la responsabilité de cette affaire, elle s'était libérée d'un énorme poids. Elle avait posé le geste qu'il fallait pour bien marquer son choix : Pierre. Elle laissait Richard et la Fondation à leurs problèmes et s'en lavait les mains.

Son désir le plus ardent fut aussitôt de contacter Pierre. Elle lui texta : « Salut, mon beau, je m'ennuie de toi. Je comprends ton silence, mais j'ai fait ce qu'il fallait. Je veux te parler. »

Dans la minute qui suivit, elle reçut sa réponse : « J'arrive. »

C'est le cœur battant qu'elle vint lui ouvrir. Pierre évita les effusions et garda ses distances, mais il accepta de passer au salon. L'émotion était palpable.

— Je suis contente que tu sois là, déclara-t-elle d'abord. La dernière fois qu'on s'est vus, tu m'as demandé de choisir. C'est fait! J'ai fini de m'intéresser à la Fondation et à ton père.

— T'as rien trouvé dans l'étude de M. Trench-coat? demanda Pierre sur un ton faussement détaché.

— Qui ?

— As-tu découvert le secret de l'étude ?

— …

— Bon, OK, j'ai compris. Tu ne veux pas en parler, mais sérieusement, dis-moi seulement si tu as trouvé quelque chose.

— Pourquoi tu veux savoir ? Qu'est-ce que ça va te donner ?

Maintenant qu'elle s'était débarrassée de sa patate chaude, Aube voulait éviter à tout prix de nourrir les inquiétudes et les doutes de Pierre.

— Je te le répète : tu m'as demandé de choisir et je l'ai fait. Je t'ai choisi. Pour le reste, fais-moi confiance. S'il te plaît.

— Tu veux que je joue à l'autruche ?

— Non, mais c'est à toi maintenant de choisir. Ou bien tu m'obliges à tout te raconter et on continue à se laisser envahir par ton père ; ou tu ne me poses plus jamais de questions à ce sujet-là et on se concentre sur nous. Qu'est-ce que tu choisis ?

Pour seule réponse, Pierre s'approcha d'Aube et la serra dans ses bras avant de l'embrasser.

*

Richard mesura vite les conséquences possibles d'aller raconter à Fradette qu'une des fausses études que finançait la Fondation circulait librement. Il ne pouvait pas lui dire l'avoir eue sous les yeux sans subir un interrogatoire serré. Il n'aurait alors pas le choix d'avouer que c'était la journaliste qui l'avait entre les mains, l'exposant au danger, ainsi que son fils Pierre, possiblement. Fradette allait chercher d'où venait la fuite et voudrait probablement l'éliminer. Si Richard parlait, c'était certain, la sécurité de plusieurs personnes serait menacée. Sans compter que se faire le porteur d'une telle nouvelle l'exposait lui aussi. Bref, il n'était pas question d'en parler à Fradette, pas plus que d'aller dénoncer le stratagème à la police.

Après mûre réflexion, sa seule option était d'offrir sa démission de la présidence honoraire. Se dissocier bien vite de l'affaire.

Richard composa en quelques minutes une lettre de démission dépouillée de toute fioriture. En trois lignes, il annonçait sa décision, prise en raison d'une maladie grave, ce qui était la pure vérité. L'après-midi même, il vint la remettre en mains propres à Yves Fradette.

— Il me semblait aussi, s'exclama le comptable après avoir pris connaissance de la lettre. Je te trouvais pâle ces derniers temps. T'as perdu du poids aussi, non ? Ne me dis pas que c'est une récidive du cancer ?

Richard acquiesça, étonné de la perspicacité de Fradette.

— Pauvre toi. Mais bien sûr que j'accepte ta démission. Si j'étais toi, poursuivit Fradette, je commencerais par prendre des vacances de plusieurs semaines. Va faire un tour dans le sud. Pars ! Loin ! Oublie-nous.

Fradette insistait tellement que Richard se demanda s'il n'essayait pas de lui passer un message.

— T'as raison, je vais me reposer, répondit Richard.

— Inutile de te rappeler que tu as une entente de confidentialité, insista Fradette. Tu sais à quel point c'est important, la confidentialité. Surtout que là, il y a quelqu'un, dans notre affaire, qui divulgue de l'information. As-tu entendu parler de quelque chose ? demanda le comptable sur un ton anodin qui rendit Richard encore plus nerveux.

— Non. Rien. J'aurais dû ?

— Non, je te demandais, juste au cas où. De toute façon, j'ai déjà une petite idée de qui ça peut être, ajouta Fradette d'un air malin.

Richard comprenait que le comptable en savait long, beaucoup plus qu'il n'en avait l'air. Il se trouva d'un coup très vulnérable. Savait-il qu'il mentait présentement ?

Les relations entre les deux hommes avaient toujours été cordiales, mais pour la première fois, Richard vit vraiment à qui il avait affaire et il eut peur. Quand il sortit du bureau, il fit ses adieux aux employés permanents. Quelques personnes pleurèrent un peu à la nouvelle du retour de la maladie. Quand il quitta les locaux de la Fondation, toutefois, Richard se sentit soulagé. Son seul souci était maintenant de mettre rapidement la plus grande distance entre lui et la Fondation. Fradette n'avait pas à s'inquiéter. Avec lui, le secret était bien gardé, il l'emporterait dans sa tombe. Il souhaitait même que le stratagème se poursuive sans lui le plus longtemps possible, des années s'il le fallait, pour se faire oublier avant que le scandale n'éclate.

*

Comme tous les matins ensoleillés de la belle saison, Vincent Chicoine enfila son cuissard et son gilet de lycra, chaussa ses souliers de vélo et, du cinquième étage où il habitait, dévala l'escalier de service jusqu'au garage où l'attendait son super vélo. Il sortit par la porte de service et parcourut quelques rues vers l'ouest, puis traversa le parc Jeanne-Mance et l'avenue du Parc pour se retrouver sur le chemin Olmsted, qui grimpe sur plusieurs kilomètres, en grandes boucles, jusqu'au sommet du mont Royal, deux cent trente-quatre mètres plus haut.

Chaque matin, il en faisait l'ascension et la descente trois fois, en travaillant son cardio dans les montées et en se grisant au maximum de la vitesse dans les descentes. Chaque fois, il chronométrait sa troisième descente. Il en avait fait sa petite superstition personnelle. Plus il s'approchait de son temps record, plus la journée serait bonne.

Ce matin-là, il filait à vive allure. Dans une des plus belles lignes droites de la descente, il dévalait à plus de 40 km/h quand trois gaillards munis de battes de baseball sortirent des buissons. Vincent voulut freiner pour éviter les taupins brandissant leurs bâtons, mais n'eut d'autre choix que de foncer dans la forêt. Incapable de s'arrêter, il alla s'écraser contre une branche si grosse que l'impact fit à peine trembler ses feuilles.

Les trois hommes le virent déraper et foncer dans les arbres. Ils entendirent un bruit sourd, puis plus rien. Le plus jeune des trois vint vérifier l'état de la victime. Vincent Chicoine s'était arraché la moitié du visage sur l'arbre et gisait sur son vélo, les yeux ouverts et la tête tournée d'une bien étrange façon. Il était mort sur le coup. Le petit jeune était soulagé. Il n'allait pas devoir l'achever.

*

Pierre et Aube passaient le plus clair de leur temps libre et toutes leurs nuits ensemble, tantôt chez elle, tantôt chez lui. Ils avaient eu une discussion un peu pénible quelques jours auparavant, quand Pierre avait informé Aube un peu légèrement qu'il n'allait pas présenter sa candidature au concours du Haut-Secrétariat.

— J'en ai parlé avec P-É, je ne suis plus sûr d'en avoir envie.

À la grande surprise de Pierre, Aube fut extrêmement déçue et l'exprima ouvertement.

— Qu'est-ce que P-É a pu te dire pour te faire changer d'idée ?

— Il m'a demandé ce que j'attendais de ce stage et, très franchement, je n'en avais aucune idée. C'est l'idée de triper avec toi qui m'excitait, pas un stage avec Berg-meier. J'ai jamais décidé, moi, de devenir un artiste. Si je remportais ce concours-là, ce qui n'est pas impossible parce que mon père connaît beaucoup de monde, je prendrais la place de quelqu'un qui en profiterait plus que moi...

Aube l'écoutait avec la même exaspération que lorsqu'il lui avait accordé une entrevue complaisante sur son père. Chacune de ses réponses traduisait sa peur.

— T'es vraiment con, finit-elle par lancer.

Ils traînaient, depuis, un petit nuage noir au-dessus de leurs têtes. Bien sûr, ils se remirent à rire et à s'aimer, mais déjà, leur toute nouvelle relation se trouvait minée d'un premier sujet tabou.

Mais leur bonheur encore innocent dut affronter pire. Un soir, en entrant chez Aube au retour du travail, ils trouvèrent l'appartement dévasté. La super télé du salon avait disparu, ainsi que la chaîne stéréo, un peu obsolète, mais qu'elle aimait bien. À la cuisine, sa cafetière expresso dernier cri manquait et son congélateur, complètement vidé, était demeuré grand ouvert. Les voleurs avertis savent que les gens y cachent souvent leurs bijoux et leur argent, expliqua Pierre. Dans sa chambre, le contenu de ses tiroirs était répandu sur le sol. Impossible de dire s'il manquait quelque chose.

Devant tout ce fouillis, Aube fut prise d'un sentiment de grand découragement. Elle allait devoir tout ramasser et remettre en place. Signaler le vol à la police, appeler son assureur, faire la liste des objets manquants, tout racheter. Rien ne pouvait plus l'emmerder.

— Viens, sortons, proposa-t-elle. On appellera la police après. De toute façon, ils mettent des heures à venir dans ces cas-là.

Aube entraîna Pierre dans le petit snack-bar où elle allait manger parfois quand l'inspiration culinaire lui manquait. Le *cheeseburger* tomate moutarde était excellent et les frites bien graisseuses lui avaient remonté le moral plus d'une fois. Une télé, installée dans un coin au plafond, était allumée en permanence, avec la bande de sous-titres pour malentendants. À l'heure du souper, on pouvait non seulement regarder, mais aussi lire les nouvelles.

À quelques reprises dans la journée, Aube avait entendu à la radio la nouvelle de l'accident mortel d'un cycliste sur le mont Royal. C'était bien triste, mais chaque jour apportant son lot de mauvaises nouvelles, celle-là n'avait rien pour l'émouvoir particulièrement. Sauf qu'au moment où Aube aperçut à l'écran du téléviseur du petit resto la photo de la victime, elle fut saisie.

Pierre vit d'abord Aube figer, puis littéralement s'effondrer, au bord des larmes.

— C'est lui... Le mort du mont Royal, c'est M. Trenchcoat, bafouilla-t-elle. C'est mon informateur. Il est mort !

Soudainement, Aube alluma. Elle se leva d'un bond, se rua hors du restaurant et grimpa à la course les marches vers son appartement. À l'intérieur, elle se précipita dans l'armoire à balais, où se trouvait aussi le chauffe-eau. En s'étirant, elle glissa le bras derrière l'appareil, mais n'y trouva absolument rien. Elle vérifia de l'autre côté, en entrant dans le placard pour pouvoir aussi passer sa main. Il n'y avait rien là non plus. Aube comprit alors que le cambriolage n'était qu'une mise en scène. Les voleurs cherchaient très précisément à récupérer l'étude bidon et ils avaient réussi.

6

De grosses larmes coulaient sur les joues de Richard, qui tranchait les oignons du sauté de légumes qu'Adeline et lui préparaient. Tout à sa tâche, il suivait distraitement le bulletin de 18 heures sur la petite télé de la cuisine.

Son attention fut toutefois attirée par la nouvelle du cycliste trouvé mort le matin même sur le mont Royal par un employé du parc. Il leva la tête et vit apparaître la photo de la victime à l'écran.

— Chicoine! s'écria-t-il en pointant le téléviseur avec son couteau plein de petits cubes d'oignons.

« L'identité de la victime a pu être établie, poursuivit le lecteur, il s'agit de Vincent Chicoine, résident de Montréal et adepte du vélo de montagne. Les premières constatations laissent croire aux policiers qu'il s'agirait d'un accident, mais les responsables de l'enquête ont encore... »

Richard dut s'asseoir, sonné par la nouvelle. Sa tête bourdonnait. Vincent Chicoine! Il l'aurait reconnu entre mille avec sa petite gueule de crapule, son sourire en plâtre et son regard fuyant.

— C'était lui la taupe ! s'exclama-t-il, saisi d'une agitation soudaine. Ils l'ont assassiné. Fradette l'a fait tuer !

— Ben voyons ! C'est un accident. Ils l'ont dit à la télé, raisonna Adeline.

— Je n'y crois pas. Il y a deux jours, Fradette m'a dit que quelqu'un dans l'affaire parlait un peu trop. Comme par hasard, Vincent Chicoine, un petit magouilleur hypocrite, meurt « accidentellement ». C'est trop gros pour être une coïncidence.

— Qu'est-ce que tu vas faire ?

— Je n'ai plus le choix. Il y a eu mort d'homme, ça va trop loin. Jusqu'à maintenant, j'étais *clean*, mais là, je me retrouve complice d'un meurtre. Il faut que ça arrête.

D'un geste décidé, Richard retira son tablier, ramassa ses lunettes sur la table et partit aussitôt s'enfermer dans son bureau.

— Qu'est-ce que tu fais ?

— Ce que j'ai à faire. Ça ne peut plus durer.

Mesurant très bien l'urgence de la situation, Adeline téléphona à Yves Fradette et lui dit simplement : « Je pense que tu devrais venir. »

Assis derrière son bureau, Richard s'empêcha de prendre un comprimé malgré la douleur naissante dans son épaule. Il avait besoin de toute sa tête.

Son plan était simple : tout dire à la police. Mais d'abord, il devait bien réfléchir à la façon de présenter les choses. Il devait dénoncer en évitant de trop s'incriminer lui-même. Il eut l'idée d'écrire d'abord une lettre, histoire de mettre ses idées bien en place, de préciser les circonstances, d'expliquer le sens moral de sa participation. Il commença à écrire : « Par la présente, je veux dénoncer l'existence d'un système de blanchiment d'argent à la Fondation Dreaming Québec dont je connaissais l'existence, mais sans jamais en avoir tiré profit personnellement. »

Il décrivit ensuite les rouages du stratagème, ou du moins ce qu'il en connaissait. Il cita les noms d'employés de la Fondation, de collaborateurs externes, de quelques prête-noms dont il se souvenait. Il passa rapidement sur sa participation à l'affaire. En une seule phrase, il résuma : « En tant que président honoraire du comité de collecte de fonds, mon rôle consistait à conférer au stratagème toutes les apparences de la légitimité. » Il n'était pas certain de cette formulation. Il essaierait de trouver autre chose.

Vers la fin seulement, il avoua entretenir des soupçons quant à la mort « accidentelle » de Vincent Chicoine qui, selon lui, était possiblement liée aux activités illégales menées à la Fondation.

Il termina en reconnaissant avoir manqué de jugement en fermant les yeux sur ces activités criminelles, mais plaida la bonne foi et l'intérêt des enfants malades.

Il cacheta l'enveloppe et la glissa entre deux livres de la bibliothèque. S'il devait lui arriver la même chose qu'à Chicoine avant qu'il puisse parler, la lettre serait sûrement découverte un jour et causerait un scandale. Il sentit monter en lui un sentiment d'exaltation, une ivresse mentale à l'idée que lui, Richard Desgroseillers, allait faire éclater la vérité au grand jour.

Au moment où il allait sortir de son bureau, on frappa à sa porte et quand il ouvrit, Yves Fradette entra sans attendre d'y être invité. Il était accompagné de Jimmy, le petit caïd qui organisait les séances photo au studio de l'avenue du Parc. Suivait derrière un inconnu, en complet gris et portant une mallette.

— Salut, Richard, trompeta Fradette.

Richard s'interposa, mais l'autre le contourna et alla s'asseoir à sa place, dans la grosse chaise, derrière le bureau.

Jimmy, affichant une mine patibulaire, verrouilla la porte du bureau.

— On ne te dérange pas, j'espère ? demanda Fradette. Qu'est-ce que tu faisais avant qu'on arrive ?

— Rien de particulier. Qu'est-ce que vous me voulez?

— Adeline m'a dit que tu as capoté en écoutant les nouvelles. C'est l'histoire de Chicoine qui t'a mis dans cet état. Pauvre diable! Méchant accident! Il ne s'est pas manqué.

— Je ne crois pas à un accident.

— Ben voyons, c'est la police qui le dit.

— Elle se trompe, c'est vous autres.

— Pas du tout!

— Je ne peux pas être mêlé à une affaire de meurtre.

— Tu ne l'es pas. Personne n'a tué personne, mets-toi bien ça dans la tête. Mais je te connais, toi. T'es comme le Capitaine Bonhomme. Tu aimes raconter des aventures. T'aurais pas envie d'aller faire ton intéressant du côté de la police, par hasard?

— Es-tu malade? répondit Richard, par pur instinct de survie.

— Au cas où ce serait dans tes plans, je vais t'éviter d'avoir l'air con. Depuis le début, tu penses que t'es *clean*, mais si les policiers se mettent à faire enquête, ils vont découvrir que ce n'est pas vrai du tout que tu n'as jamais tiré profit de notre «affaire». Au contraire, tu t'en es mis plein les poches grâce à l'entreprise de ta femme.

— C'est pas vrai! s'insurgea Richard.

— Oui, oui. Je vais te montrer.

Yves Fradette fit un signe à l'homme à la mallette, qui sortit un dossier portant la mention ASC sur l'onglet.

— Adeline Simard Communications... Ta femme a reçu... attends voir... 775 000 dollars l'an dernier de la Société Bernard pour la réalisation de mandats de traduction et de rédaction. Elle est efficace, ta femme! Une grosse partie de cet argent a été distribuée aux actionnaires de sa compagnie sous forme de dividendes... Mais voyons... Qu'est-ce que je vois là, demanda Fradette, faussement étonné en scrutant sa feuille, Richard Desgroseillers! Regarde, ici, il y a ton nom... Tu ne m'avais pas dit que tu étais actionnaire de l'entreprise de ta femme?

— Espèce de crapule !

— Selon les chiffres, t'aurais reçu 150 000 dollars depuis deux ans. Ce ne sera pas difficile pour les policiers de découvrir que c'est de l'argent sale. Je me demande qui aura l'air d'une crapule si les gens viennent à savoir ça. Une chance que je suis là pour empêcher que ça arrive. Te vois-tu aller dire à tout le monde que tu fais ça pour les enfants, alors que c'est toi qui empoches ? En plus de passer pour un pourri, tu passerais pour un menteur. Tu devrais me remercier de t'avoir averti à temps.

Richard sentit son monde s'écrouler. À ce moment précis, il entendit la porte avant de la maison se refermer. Par la fenêtre, il vit sa femme sortir avec son sac en bandoulière et tirer derrière elle une grosse valise sur roulettes. Sentant bien sur elle son regard, Adeline évita de regarder la fenêtre d'où Richard l'observait. Elle chargea sa valise et démarra en trombe, sans même lui adresser un dernier regard.

Richard comprit alors la trahison de sa femme et se traita d'imbécile. Il s'étonnait toujours de voir Fradette si bien informé. Bien sûr ! Adeline lui racontait tout ! Elle baignait jusqu'au cou dans cette magouille.

— Dis-moi ce que tu faisais ici avant qu'on arrive, demanda Fradette sur un ton menaçant.

— Rien, je te dis.

— T'étais en train d'écrire. Ta tablette et ton stylo sont encore là.

Il fit signe à Jimmy de fouiller Richard, ce qu'il fit sans ménagement. La douleur naissante dans son épaule s'était amplifiée et le stress contribuait à augmenter son inconfort. Le mal devenait intenable, mais Richard voulait éviter de se montrer vulnérable, surtout maintenant.

Fradette s'intéressa aux tiroirs du bureau, cherchant ce qui pouvait ressembler à une lettre, des notes, n'importe quoi.

— Il n'a rien sur lui, proclama Jimmy.

— Les bibliothèques, ordonna Fradette.

Jimmy s'« attaqua » aux bibliothèques. En fait, il saccageait plus qu'il ne fouillait. Il jetait par terre des rangées complètes de livres et de revues, qu'il examinait ensuite du bout du pied. Il finit par trouver ce qu'il cherchait.

— Je pense que je l'ai! s'écria-t-il en tirant une enveloppe cachetée d'un tas de livres.

Il la remit à son patron, qui l'ouvrit proprement.

Dépliant la lettre, Yves Fradette compta rapidement quatre pages remplies d'une écriture serrée, droite et maîtrisée. Il la parcourut en diagonale, relevant des mots comme « prête-noms », « commissions », « connivence ». Il lut aussi des noms, dont le sien, au moins trois fois, ainsi que ceux d'employés de la Fondation, du P-DG de la Société Bernard et de son directeur des finances.

Fradette demeura sidéré quand il lut, à la page 4, le nom de Vincent Chicoine, «… dont la mort est possiblement liée aux activités illégales menées à la Fondation Dreaming Québec».

Richard avait fabriqué une bombe, mais le comptable, fier de l'avoir interceptée, la remit au type en gris, qui la rangea dans sa mallette avant de prendre congé.

Fradette se leva et se dirigea lentement vers Richard, resté debout pendant tout ce temps. Une fois en face de lui, il lui décocha un formidable coup de poing sur l'épaule gauche. Richard ploya comme sous la morsure d'une bête qui lui arracherait le bras.

— Tu sais bien des choses, mon cher Richard, trop peut-être. Mais si tu parles, tu peux être certain que tu vas couler avec nous. Tu vas ternir le souvenir que les gens vont garder de toi et gâcher la vie de pas mal de monde autour de toi. Pense à ton petit-fils. Comment va-t-il réagir en apprenant que t'es un paria? As-tu pensé à ça?

Sur ces mots chargés de sous-entendus, Fradette quitta le bureau, suivi de Jimmy.

Paralysé par la douleur et la peur, Richard demeura seul au milieu du fouillis. Quand il entendit la porte d'entrée se refermer, il se précipita à la toilette de justesse pour vomir dans la cuvette. Le cœur semblait vouloir lui sortir du corps. Dans sa chambre, il trouva enfin ses comprimés. Une fois la douleur calmée, il constata qu'Adeline avait fait sa valise en catastrophe. Il manquait plusieurs de ses vêtements dans la garde-robe, mais d'autres gisaient sur le sol. Trois paires de souliers étaient restées sur le lit. Par contre, ses bijoux ainsi que toutes ses crèmes et ses produits étaient partis.

*

Quand Pierre rejoignit Aube dans son appartement, elle ressortait de l'armoire à balais, ébouriffée et en colère. Il exigea des explications.

Elle se demanda par où commencer. Elle annonça d'abord que les cambrioleurs ne visaient qu'une chose : récupérer la fameuse étude, dont ils n'avaient plus jamais reparlé. Elle lui raconta donc sa découverte de la supercherie et les aveux de Richard, qui était au courant du stratagème et fermait volontairement les yeux. Finalement, elle lui parla de son informateur.

— La mort de Vincent Chicoine n'est pas un hasard, ni un accident. C'est un meurtre.

— T'es certaine ? Parce que si c'est le cas, toi aussi t'es menacée.

— Je ne pense pas, répondit Aube. S'ils avaient voulu s'en prendre à moi, ce serait déjà fait. Ils voulaient simplement récupérer l'étude. La seule preuve que je possédais est disparue. Ce qui me chicote, c'est ton père. Il était le seul à savoir que j'avais ce document.

Pierre devint soudainement stressé. Il sortit son téléphone de sa poche et composa le numéro de son père. Quand Richard prit enfin l'appel, il semblait très fébrile et Pierre ne put placer un mot.

— Tu tombes bien ! s'enthousiasma Richard. J'ai pas le temps de t'expliquer au téléphone, mais j'ai des choses importantes à te dire. Il faudrait que tu viennes à la maison.

— Aube s'est fait cambrioler. Les voleurs ont pris un certain document dont t'étais le seul à connaître l'existence. As-tu quelque chose à voir là-dedans ?

— Non, c'est Adeline, dit Richard, elle m'a entendu parler à ta blonde. Qu'est-ce que tu sais de toute cette affaire ?

— Aube m'a raconté ce qu'elle savait. C'est vrai que le gars sur le mont Royal pourrait avoir été assassiné par des gens de la Fondation ?

— Pas au téléphone. Viens vite à la maison, je t'attends.

Si Pierre avait encore un doute sur l'implication de son père dans des affaires louches, il tomba à ce moment-là. Aube disait vrai. La situation était vraiment grave et son père n'était pas innocent. Il raccrocha et revint vers Aube.

— Mon père me réclame. Il a des choses importantes à me dire.

— Raconte.

— Je l'ai questionné sur la mort de Chicoine, mais il n'a rien voulu me dire au téléphone et m'a demandé de venir.

— Tu dois le convaincre d'aller à la police. Moi, c'est ce que je vais faire. Il faut que je raconte ce que je sais sur Vincent Chicoine.

— T'es certaine ? Ces gens-là sont dangereux.

— Je ne peux pas me taire, quand même. Ce serait me faire complice. Non ?

— D'accord, mais je ne te laisse pas partir seule.

— Avec qui alors ?

Pierre songea aussitôt à Jason. Il n'y avait pas un doute dans son esprit, seul Jason pouvait remplir cette tâche. Il l'appela.

— Jason, j'ai un service à te demander. C'est rare que ça m'arrive, mais là, c'est important.

À cause du ton dramatique et de l'insistance de son père, Jason eut aussitôt la puce à l'oreille.

— Je t'écoute.

— Tu vas rire. J'aurais besoin de toi comme garde du corps.

— Garde du corps?

— Oui, pour protéger Aube. Je sais, c'est étrange, mais viens, je suis chez elle, je vais tout t'expliquer.

Quinze minutes plus tard, Jason se pointa à l'adresse indiquée, plus intrigué qu'inquiet.

En voyant entrer Jason dans l'appartement en désordre, Aube ressentit plus lourdement la gravité de la situation. Son garde du corps était arrivé. Un jeune officier de l'armée, parfaitement entraîné pour tout genre de mission, dont la garde rapprochée. Pour alléger un peu l'atmosphère, elle invita les deux hommes à s'asseoir au salon et leur offrit à boire.

Pour Pierre, l'heure n'était pas aux civilités. Plus vite il expliquait la situation à Jason, plus vite il serait chez son père. Aube insista toutefois, parce que les révélations chocs qu'allait entendre Jason exigeaient un peu d'enrobage. Aube servit donc trois thés glacés maison et ils s'installèrent au salon malgré le désordre qui y régnait.

Avant que Pierre ouvre la bouche, Aube prit la parole.

— Comme tu peux voir, je me suis fait cambrioler, mais ce n'est pas un cambriolage ordinaire. Ton père t'a demandé de venir, car il craint pour ma sécurité et moi aussi. Je dois dire que je ne me sens pas très brave. Tu as peut-être entendu la nouvelle du cycliste mort ce matin sur le mont Royal. J'ai rencontré ce gars-là récemment. Il m'a transmis des informations et j'ai découvert que la Fondation Dreaming servait à blanchir de l'argent. Il m'a même fourni un document pouvant le prouver. Ceux qui l'ont tué ce matin sont venus ici plus tard récupérer le document. Je n'ai plus le choix. Je dois rapporter tout ça à la police.

— Si Vincent Chicoine s'est fait assassiner, ils peuvent très bien s'en prendre à Aube maintenant, souligna Pierre pour bien marquer la gravité de la situation.

— Pourquoi tu ne vas pas avec elle ? demanda Jason.

— Parce que je dois aller voir ton grand-père. Il m'a demandé de venir. La situation l'inquiète lui aussi.

— Grand-p'pa ? Qu'est-ce qu'il a à voir là-dedans ?

— Rien, affirma Pierre sans sourciller, mais il connaissait peut-être la victime, c'est un ancien employé de la Fondation Dreaming.

Pour éviter que Jason ne pose d'autres questions, Pierre ajouta :

— Mais là, on perd du temps. Est-ce que je peux te confier Aube ? Je te le demande parce qu'il n'y a qu'en toi que je peux avoir confiance.

Ce n'était même pas une tentative de séduction ou un argument racoleur. Pierre y croyait vraiment. Il avait une confiance aveugle en Jason. Rien n'arriverait à Aube s'il était avec elle.

— D'accord, consentit le jeune.

Pierre, empli de fierté, prit son fils dans ses bras et chuchota :

— Merci, mon gars.

Avant de quitter l'appartement, Aube vint vers Pierre, les bras tendus. Il voulut la rassurer, mais chercha aussi un peu de réconfort pour lui-même. Ils s'embrassèrent.

Au moment de partir, Jason entrouvrit la porte avant de sortir sur le balcon pour examiner les environs, les gens dans la rue, les voitures stationnées. Rien ne paraissait anormal. Ils descendirent ensemble, Aube entre les deux hommes. Pierre les reconduisit à la voiture de Jason et les regarda s'éloigner avant de partir à son tour.

*

En moins de quinze minutes, Pierre était devant la maison de son père, à Mont-Royal. Sa Mercedes-Benz était à la porte, mais pas le Land Rover d'Adeline. Il tenta d'abord de voir à l'intérieur par le petit carreau, puis sonna. C'est un Richard extrêmement fébrile qui vint lui ouvrir.

— Qu'est-ce qui t'arrive ? demanda Pierre.

— Entre d'abord. Il faut que je te parle, dit Richard sur un ton presque enjoué.

Pierre entra dans la maison et vit à sa droite le bureau saccagé.

— Qu'est-ce qui s'est passé ici ?

— C'est rien. T'en fais pas. Ça n'a pas d'importance.

— C'est à cause de la mort du cycliste du mont Royal ? Aube avait raison. T'as reçu des menaces ? Dis-moi, c'est vrai que tu es mêlé à une magouille de blanchiment d'argent à la Fondation Dreaming ?

— Pierre, c'est important que tu m'écoutes sans m'interrompre. On n'a pas beaucoup de temps. D'accord ?

— Je ne comprends pas ! Pourquoi t'as collaboré avec des criminels ?

— Je n'ai pas pu faire autrement. Ça faisait des mois que j'étais président honoraire quand j'ai commencé à noter des affaires louches. Il était trop tard. J'ai accepté de fermer les yeux parce que si je parlais, c'était comme signer l'arrêt de mort de la Fondation. Ce sont les enfants malades, au bout du compte, qui en auraient le plus souffert. Moi, je n'ai rien gagné dans tout ça. Je peux te le jurer.

— La belle affaire ! Tu arranges toujours la réalité à ton goût, s'insurgea Pierre. Tu fermes les yeux sur des activités de blanchiment d'argent pour aider les enfants malades sans te soucier de la drogue que tes amis vendent dans les cours d'école. Du moment que toi pis ta maudite fondation en profitez. C'est tout ce qui compte, même si des gens doivent se faire assassiner, comme Vincent Chicoine.

— Je n'y suis pour rien ! Et laisse-moi finir avant de parler. Oui ! La mort de Chicoine m'a bouleversé. Je veux tout faire pour que cesse la magouille. Mais une enquête policière sur la Fondation Dreaming, tu le sais comme moi, c'est de la dynamite. Ça prend quelqu'un qui n'a rien à perdre pour se lever et dénoncer. Alors j'ai décidé de saisir l'occasion. Je vais annoncer la tenue d'une conférence de presse pour aujourd'hui même et je vais tout raconter aux médias.

— Pourquoi les médias ? Pourquoi pas la police ?

— Es-tu malade ? On va perdre trop de temps. Pour faire avancer les choses, il nous faut d'abord l'opinion publique de notre bord. Quand il est question d'enfants malades, laisse-moi te dire que le public est vite à exiger des comptes.

— Et tu penses que tes amis vont te laisser faire ?

Richard ne répondit pas.

— Papa, réponds-moi. Penses-tu que tes amis vont te laisser faire une conférence de presse pour les dénoncer ?

— Non. Mais je m'en fous. Si ces bandits sont assez bêtes pour me faire taire avant même que j'aie prononcé un seul mot… c'est tant pis pour eux. Moi, je n'ai vraiment rien à perdre. Même ma vie ne m'appartient plus.

— Tu veux dire que tu pourrais te faire tuer ?

— Je m'en fous ! Je suis déjà condamné. Imagine la réaction du public quand il apprendra que j'ai été assassiné. Il va vouloir savoir ce qui s'est passé. Tu n'auras jamais vu une enquête policière avancer aussi vite. Crois-moi. D'abord Chicoine et ensuite moi. On fera condamner cette bande de criminels pour double meurtre, en plus de tout ce qui leur pend au bout du nez. C'est génial, non ?

— Tu veux que je te laisse entre les mains de tes assassins ? Je n'en reviens pas !

— Non, je veux que tu m'aides à organiser une conférence de presse.

— Tu ne te rends pas compte de ce que tu me demandes ? Mais pourquoi je m'étonne ? Évidemment ! T'as la chance de mourir en martyr de la lutte contre le crime organisé, c'est tellement mieux que de mourir bêtement d'un cancer des os… Je n'embarque pas dans ta mise en scène. Non seulement on ne va pas organiser de conférence de presse dans le but que tu te fasses descendre, mais je te sors d'ici et vite, ça presse.

— Je voudrais bien voir ça !

— Fais-moi confiance. On s'en va directement à la police.

— Si tu fais ça, je te le jure, tu vas le regretter. Par ta faute, je vais me retrouver à la télé, menotté, pourchassé par des journalistes, comme un vulgaire malfaiteur. J'aurai beau clamer mon innocence, personne ne va me croire. D'accord, c'était bête de me laisser prendre dans cette combine, mais je n'ai rien fait pour mériter de tomber en disgrâce aux yeux de tout le monde.

— Si tu n'as rien à te reprocher, il n'y a pas de danger.

— Justement, ils ont fabriqué des preuves contre moi. Si les policiers enquêtent, ils vont me déclarer coupable. Je t'en supplie, laisse-moi faire selon mon plan, insista Richard, le regard un peu halluciné.

— Il n'en est pas question ! réagit Pierre, troublé à l'idée que son père puisse être traité comme un paria. On n'ira pas à la police tout de suite, mais je vais quand même te sortir de la maison, même si je dois te porter dans mes bras.

*

En chemin pour le quartier général de la police, Aube réfléchissait à la meilleure façon de livrer son témoignage pour ne pas accuser directement Richard. La seule chose dont elle voulait parler était du mort. L'enquête finirait peut-être par incriminer Richard d'une façon ou d'une autre, mais ça ne devait pas être grâce à son témoignage.

— Mon père ne m'a pas tout dit, n'est-ce pas? demanda Jason, inquiet pour son grand-père.

— Il ne sait pas grand-chose. Ton grand-père n'a rien voulu lui dire au téléphone. Il va nous tenir au courant. T'en fais pas.

Parvenue au quartier général du SPVM, elle demanda à parler à l'officier responsable de l'enquête sur la mort du cycliste du mont Royal. Elle avait des informations précieuses à communiquer. L'agent à la réception la fit asseoir.

L'inspecteur s'apprêtait à partir quand Aube Desbiens demanda à le voir. Il lui aurait volontiers demandé de revenir le lendemain, mais il reconnut la journaliste et comprit que ce ne serait pas si simple. En homme posé, solide et calme qu'il était, le policier vint l'accueillir.

— Bonjour, madame Desbiens! Qu'est-ce que je peux faire pour vous?

— C'est à propos du mort du mont Royal. Je le connais... J'aurais une déposition à faire.

— Ah bon! D'accord, venez.

L'incident s'était déroulé le matin et, toute la journée, des spécialistes avaient analysé la scène sous tous les angles. Le coroner avait déterminé que la mort était due à un violent impact de la tête de la victime contre un arbre, causant la fracture des sixième et septième vertèbres cervicales ainsi que la section complète de la moelle épinière. L'inspecteur avait épluché les premiers rapports et déjà, à ses yeux, la thèse de l'accident se confirmait. La victime roulait sûrement très vite, sur une chaussée en poussière de roche. Il y avait des traces de perte de contrôle, probablement due à la vitesse. L'homme avait tenté de freiner, mais il avait frappé un arbre et était mort sur le coup. L'affaire était bien triste, mais l'inspecteur en avait tellement vu que plus rien ne l'affectait vraiment.

— Donc, vous connaissiez la victime, Vincent Chicoine ?

— Connaître, c'est un bien grand mot. Disons que je lui ai parlé, deux fois. Il m'a fait des révélations à propos de la Fondation Dreaming. J'ai vérifié ces informations et j'ai trouvé, effectivement, des choses très louches. La dernière fois qu'il s'est manifesté, c'était pour m'envoyer le rapport d'une étude financée par la Fondation. J'ai découvert qu'il s'agissait d'une étude bidon : quatorze fois le même texte de trente-sept pages. Le jour même de la mort de mon informateur, je me fais cambrioler et la seule preuve que je possède pour appuyer ce que j'avance disparaît. Je suis convaincue qu'il existe un lien. Je n'ai rien pour le prouver, mais je suis persuadée qu'une organisation criminelle a pris le contrôle de la Fondation pour faire du blanchiment d'argent. Vincent Chicoine a voulu le dénoncer et il est mort à cause de ça.

— Un meurtre ?

— Exactement. Un meurtre commandé par quelqu'un de la Fondation Dreaming.

— Ah oui ? répondit l'inspecteur, mi-amusé, mi-sceptique. Et qui à la Fondation aurait commandé ce meurtre, à supposer que ce soit un meurtre ?

Aube avait le nom d'Yves Fradette en tête, mais n'osa pas pour l'instant le mentionner, de peur de diriger trop directement l'enquête vers Richard.

— Je ne sais pas, répondit Aube avec dépit, mais il se passe des choses étranges avec les grands donateurs.

Elle parla du père de famille de banlieue, sûrement trop pauvre pour faire un don de 75 000 dollars, et des marche-o-thons fructueux de l'association Les Petits Pas.

— Ce sont des prête-noms, des compagnies écrans. Il en existe sûrement beaucoup d'autres qui font entrer plein d'argent sale à la Fondation, qui ressort à l'autre bout sous forme de subventions à des entreprises qui produisent des études bidon.

En parlant, Aube se rendit compte de toute l'absurdité de la situation. Elle n'avait qu'un témoignage fait de suppositions et de déductions, sans rien à présenter, alors que pour s'en prendre à la Fondation Dreaming, il fallait des preuves en béton.

L'inspecteur garda ses doutes pour lui, mais, à ses yeux, l'histoire d'Aube ne tenait pas la route. De toute façon, personne au quartier général n'avait envie d'entendre ce qu'elle avait à raconter. La Fraternité des policiers et policières soutenait officiellement la Fondation Dreaming et organisait chaque année un tas d'activités de collectes de fonds. Rien de pire pour les relations publiques que de découvrir que la police encourageait une organisation criminelle.

— Qu'est-ce que vous comptez faire ?

— Je vais ajouter votre déposition au dossier.

— C'est tout ? demanda Aube, visiblement déçue. Vous n'allez même pas vérifier les informations ?

— Soyez sans crainte, on va faire notre travail du mieux qu'on peut. Comme vous le faites vous-même. Je voulais d'ailleurs vous féliciter, j'aime beaucoup vous lire. Vous avez une très belle plume, complimenta l'inspecteur.

Aube fut touchée de la gentillesse, mais comprit du même coup que c'était une façon de mettre fin à l'entretien. Elle insista quand même pour conclure sa déclaration par ces mots : « En mon âme et conscience, et bien que je n'aie pas de preuves, je suis convaincue que la mort de Vincent Chicoine est liée à des actes criminels qui ont lieu présentement à la Fondation Dreaming. »

Elle se relut, puis data et signa sa déclaration.

— Merci, dit l'inspecteur. On vous rappellera en cas de besoin.

Aube, piteuse, rejoignit Jason, resté dans la salle d'attente. Elle comprit que la seule personne capable de fournir les preuves nécessaires pour convaincre la police, c'était Richard lui-même. Il devait absolument venir tout raconter ce qu'il savait.

*

Richard n'eut pas le choix de suivre Pierre jusqu'à la chambre, mais il refusa catégoriquement de participer à l'organisation de sa fuite. Muré dans son refus de partir, il gardait le silence.

Pierre trouva la grande valise de son père et se chargea seul de faire ses bagages. Il y fourra un paquet de chaussettes et de sous-vêtements propres, quelques t-shirts, des chemises, deux pantalons, des souliers… Dans la salle de bain, il prit son sac de toilette ainsi que son pot de comprimés à peine entamé.

— C'est ça, tes antidouleurs ? demanda Pierre.

Richard ne répondit pas.

— Ah ! Sacrament, p'pa ! s'impatienta Pierre, qui lança le flacon dans la valise avant de la refermer.

Pierre agrippa son père le plus doucement possible, mais quand même fermement. Richard, n'étant pas de taille à résister, suivit son fils vers la sortie. Toutefois, quand Pierre ouvrit la porte, une surprise les attendait : un gaillard à l'œil glauque leur barrait le passage.

— Jimmy ? s'écria Richard en reculant d'un pas.

Depuis le début, Jimmy était resté à l'extérieur. Il avait vu Pierre arriver et entrer dans la maison. Les ordres étaient maintenant de l'empêcher de sortir. L'air méchant, Jimmy repoussa Pierre dans la maison, mais ce dernier n'avait pas l'intention de se laisser arrêter. Ses meilleurs atouts étaient la vitesse et la surprise. Il déposa donc son sac par terre et, quand Jimmy se tourna vers lui, son poing partit de lui-même. Avec la précision d'une flèche qui trouve sa pomme, Pierre administra à Jimmy un formidable coup de poing sur la gueule, un seul, mais qui le mit instantanément K.-O.

Richard n'en crut pas ses yeux. Loin d'être admiratif, il s'enragea un peu plus, car il venait de rater l'occasion de mettre son plan en œuvre. Au lieu de cela, il devait suivre son fils de force.

— Pierre, j'espère que tu es conscient que tu m'amènes contre mon gré. C'est un enlèvement que tu fais là. Tu pourrais être mis en prison pour ça si je portais plainte.

— Pas du tout. J'aide une personne en danger. Vite, viens !

Richard maugréa, mais suivit Pierre docilement. Ils montèrent dans la Mercedes-Benz, mais c'est Pierre qui prit le volant après avoir déposé les bagages de Richard dans le coffre. Il démarra et fila avant que Jimmy ne reprenne connaissance.

— Tu vas voir, on ne sera pas partis longtemps, dit Pierre, comme pour amadouer son père. Juste le temps qu'ils trouvent les assassins de Chicoine.

— Tu rêves en couleur, mais fais à ta tête, moi, je m'en balance.

C'est bien ce que Pierre avait l'intention de faire. Il se dirigea d'abord vers l'atelier en vérifiant compulsivement dans ses rétroviseurs que personne ne le suivait. Parvenu au bâtiment après un parcours en zigzag, il se croisait maintenant les doigts à s'en donner des crampes pour que les clés du chalet de P-É soient à leur place dans le coffret du deuxième tiroir du petit bureau. Quel soulagement ! Elles y étaient.

— On a les clés, ça va marcher, dit Pierre en montant dans la voiture.

Richard regardait à l'extérieur sans dire un mot et en se frottant l'épaule, où une douleur était apparue.

Pierre voulait maintenant passer chez lui pour prendre ses choses. Obsédé par l'idée d'être repéré, il crut plus prudent d'entrer par l'arrière.

— Attends-moi, j'en ai pour quelques minutes seulement.

— Donne-moi mes pilules avant. J'ai très mal.

Pierre alla dans le coffre chercher à tâtons le flacon de comprimés dans la valise. Quand il revint, il fut troublé de voir pour la première fois son père souffrir d'une telle douleur. Richard exigea deux pilules. Un peu hébété, Pierre tarda à réagir. Sans aucune patience, Richard arracha le flacon des mains de son fils et avala deux comprimés, sans eau.

Voyant l'air affolé de Pierre, Richard ne put se retenir :

— Arrête de me regarder avec tes yeux de porc frais. Ça va passer.

Étonné par cette remarque qui frôlait la sollicitude, Pierre gravit l'escalier en colimaçon et pénétra chez lui par la porte de la cuisine. En un peu moins de cinq minutes, il entassa dans une grande valise ses effets personnels, des vêtements chauds, une trousse de premiers soins, bref, tout le nécessaire en prévision d'une retraite de quelques jours. Il prit également des biscottes, du café, des fruits secs et des noix pour le lendemain.

Dans la voiture, il chargea sa valise à côté de celle de son père. Richard dormait paisiblement. Soulagé, Pierre repartit. Quelques rues plus loin, il effectua un retrait de 800 dollars au guichet automatique. Il fit également le plein d'essence.

Fin prêt, il roulait sur la petite avenue Ogilvy quand une idée lui traversa l'esprit. Il immobilisa son véhicule et se tortilla un peu pour attraper son téléphone cellulaire dans la poche de son jean afin d'appeler Aube. Il aurait tant voulu lui parler directement, mais il tomba sur son répondeur. Le temps pressant, il lui laissa un message : « Salut. Je veux juste te dire que je dois partir avec mon père… Il a reçu des menaces. On s'en va "sous les étoiles" pour quelques jours. Ne t'inquiète pas. Je te reparle demain. »

Une fois cela fait, il fouilla le veston de son père jusqu'à ce qu'il trouve son téléphone. Il roula lentement jusqu'à la première bouche d'égout. Il s'arrêta, ouvrit sa portière et laissa tomber les deux téléphones au fond du canal. Il s'enfuit ensuite vers le boulevard de l'Acadie, monta jusqu'à l'autoroute Métropolitaine, gagna la 15 et fila vers le nord.

*

Sur le chemin du retour, Aube n'avait plus la même vision des choses. Alors que Jason la suivait de près en scrutant le paysage et les visages des passants pour repérer les menaces, elle marchait, insouciante.

— T'es pas obligé d'être autant sur le qui-vive. Je ne les intéresse plus. Ils ont récupéré l'étude, je ne suis plus une menace pour eux.

Elle sortit son téléphone pour appeler Pierre et constata qu'il lui avait laissé un message. « Salut. Je veux juste te dire que je dois partir avec mon père... Il a reçu des menaces. On s'en va «sous les étoiles» pour quelques jours. Ne t'inquiète pas. Je te reparle demain. »

Aube fut troublée à l'idée que Pierre et Richard aient dû fuir. Le danger était réel. Elle se rassura toutefois de les savoir en sécurité, «sous les étoiles» du lac Gravel.

Elle ne pouvait plus maintenant éviter d'expliquer à Jason la raison de leur départ.

— J'ai reçu un message de ton père. J'aimerais que tu l'écoutes.

Jason écouta.

— Pourquoi s'est-il fait menacer ?

— Devant l'inspecteur, je n'ai pas voulu incriminer ton grand-père, mais tu dois savoir certaines choses. Richard connaît depuis longtemps l'existence du stratagème à la Fondation. Il me l'a dit lui-même. Il connaît probablement Vincent Chicoine, celui qui est mort, et peut-être aussi le nom de son assassin. C'est pour ça qu'il se sait menacé.

Elle raconta pour une deuxième fois et presque dans les mêmes mots ce qu'elle avait expliqué à l'inspecteur, en ajoutant toutefois les informations concernant Richard, qui savait tout. Jason n'en croyait pas ses oreilles.

— C'est grave ce que tu dis là. Jamais je ne croirai que mon grand-père est associé à la mafia pour blanchir de l'argent et encore moins qu'il soit complice d'un meurtre !

— Il n'est pas complice d'un meurtre. Il a été victime de la situation. Il a mis un doigt dans le tordeur et c'est tout le bras qui est en train de passer. Au début, il se disait que ce seraient les enfants qui en profiteraient le plus, alors il a fermé les yeux. Mais, aujourd'hui, ça le rattrape. Malgré ses bonnes intentions, si la police enquête un jour, tous ses gestes seront scrutés de près et il risque de se faire accuser, comme les autres.

Jason ne répondit pas, ne sachant trop quoi en penser.

— Ils sont où ? Qu'est-ce que ça veut dire « on s'en va sous les étoiles » ?

— Je ne sais pas, mentit Aube.

— T'es certaine ? Si tu le sais, tu dois le dire. Il faut y aller.

— Je ne sais pas, je suis désolée, dit-elle avec encore plus de réalisme. Attendons l'appel de ton père demain et on décidera de ce qu'il faut faire.

Jason se plia à la volonté d'Aube, mais son idée était faite. Il partirait demain retrouver son grand-père.

*

Pierre et Richard arrivèrent à destination en pleine nuit. Richard s'était endormi dans une petite rue tranquille de Montréal et se réveillait sur une route cahoteuse au milieu d'une forêt d'épinettes.

— C'est quoi ça ? Où on est rendus ? s'inquiéta-t-il en écarquillant les yeux.

— Calme-toi. On arrive. Ce ne sera pas long, dit Pierre d'un ton rassurant.

— Où on s'en va ? demanda Richard, la bouche pâteuse.

— Au chalet d'un ami. Tu vas voir, pour se faire oublier, c'est l'endroit idéal.

— Ostie ! Pierre ! Pourquoi t'as fait ça ? Ciboire ! protesta mollement Richard.

— J'étais quand même pas pour te laisser te faire assassiner !

Richard ne répliqua pas, il était retombé dans un état de demi-sommeil. Enfin arrivé devant le vieux chalet, Pierre ne voulut pas réveiller son père avant d'avoir tout préparé pour l'accueillir. À l'intérieur, il alluma d'abord un feu dans le poêle, prépara le lit de la chambre et défit la valise de Richard. Il accrocha ses vêtements fripés et rangea ses effets dans la petite commode.

Alors seulement, il alla chercher son père dans la voiture, qui se laissa mener comme un somnambule. En marchant, Richard leva le nez au ciel et s'émerveilla du spectacle de la voûte céleste qui lui apparaissait dans toute sa splendeur. Richard s'arrêta et, tout chancelant sur ses jambes, observa pendant quelques instants ce ciel étoilé comme il n'en avait pas vu depuis son enfance.

Sans dire un mot, Richard reprit sa marche, soutenu par Pierre. Quand ils pénétrèrent dans la petite maison de campagne, Richard s'émerveilla :

— Le chalet de mon oncle Marcel !

Il devint très ému et des larmes lui montèrent aux yeux. Puis, l'air confus, il nota :

— Ça se peut pas, il a passé au feu.

— Ben non, ce n'est pas le chalet de ton oncle Marcel. Je t'expliquerai demain. Pour l'instant, c'est l'heure de te coucher.

— OK, dit simplement Richard.

Aucun lieu sur terre ne pouvait paraître plus rassurant que le chalet de l'oncle Marcel. Il tomba comme une roche en posant la tête sur l'oreiller.

Pierre sortit de la chambre, bouleversé. Il n'avait pas bien jugé de l'état de son père avant de le sortir ainsi de chez lui. Il se retrouvait au milieu de nulle part avec un être en pleine crise.

Il laissa la porte entrouverte pour l'entendre s'il l'appelait, puis défit ses propres bagages même si, faute de rangement, il dut conserver la plus grande partie de ses choses dans sa valise. Il plaça la nourriture à la cuisine. Demain, il irait faire le marché à Ferme-Neuve.

Il fit son lit sur le divan et éteignit toutes les lumières. Seul le feu du poêle jetait dans la pièce sa lueur dorée. Non seulement il n'y avait plus aucune humidité à l'intérieur, mais il faisait même chaud. Il ouvrit une fenêtre pour se rafraîchir quelques minutes avant de se glisser dans ses draps et de s'endormir à son tour.

*

Le lendemain matin, Richard avalait à petites gorgées son café instantané. Pendant la nuit, il s'était réveillé en hurlant et Pierre lui avait apporté ses pilules, avec de l'eau. Richard avait maintenant retrouvé ses esprits et détestait l'endroit où son fils l'avait amené.

Pierre n'était pas beaucoup plus jasant et entrevoyait avec appréhension les prochains jours de cohabitation forcée avec son père dans ce lieu reculé. Il avait agi spontanément, sur le coup de la peur, sans réfléchir, et il se retrouvait pris dans un huis clos avec cet homme à l'air renfrogné qui le fixait intensément avec une moue accusatrice.

— T'étais content d'arriver ici hier, plaida Pierre devant la mine déconfite de son père. Tu te pensais au chalet de ton oncle Marcel. T'as quasiment braillé tellement t'étais ému.

— Je n'étais pas ému, j'étais drogué. Ce matin, je vois clair.

Pierre l'avait mis dans de beaux draps. Son plan avait été bien près de se réaliser quand Jimmy était arrivé. Mais Pierre l'avait sauvé. Si son plan avait marché, Fradette serait sous les verrous et lui-même passerait pour un héros, un martyr.

— Fais-en pas un drame, répliqua Pierre, on ne restera pas ici bien longtemps. Aube est allée à la police hier. Ça va aller vite, ils vont les trouver.

— Quoi ?

— Elle m'a promis de ne pas mentionner ton nom, ajouta-t-il pour se faire rassurant. Elle va s'en tenir à Chicoine, son informateur.

— Mais tu rêves en couleur, mon pauvre Pierre. Si Aube raconte que Chicoine était la taupe d'une organisation criminelle active au sein de la Fondation, la police va se mettre à chercher un meurtrier de ce côté-là. À partir de ce moment, on ne contrôlera plus rien et personne ne sait où ça va s'arrêter. L'enquête va révéler le stratagème et, tôt ou tard, mon nom sera mentionné. Ils vont scruter ma vie et m'accuser de toutes sortes de choses et même, pourquoi pas, de complicité de meurtre, maintenant qu'il y a un mort. Tu me vois menotté, en cellule, à cause d'elle ? Donne-moi mon téléphone, je veux lui parler.

— Ouais… Il y a un problème avec ton téléphone, avoua Pierre. On n'en a plus, en fait. J'ai trouvé plus prudent de les jeter en chemin.

— Quoi ? T'as jeté mon téléphone ? Mais t'es malade !

— C'était pour éviter que quelqu'un nous retrouve avec nos GPS.

— T'aurais pu simplement enlever la puce si t'étais si inquiet, pas besoin de les jeter.

— Ah ! s'impatienta Pierre. J'étais énervé. J'aurais voulu te voir à ma place.

— J'aurais bien voulu, moi aussi… Bon ! Qu'est-ce qu'on fait maintenant ?

— On peut aller au village. Il y a un téléphone public au supermarché.

— Vas-y tout seul. Moi, j'ai mal à l'épaule, je vais prendre mes pilules. Vas-y tout de suite, je veux savoir ce que la police a dit. Essaie de gagner du temps. Dis-lui de ne rien précipiter, qu'on a besoin de quelques jours, toi et moi, pour régler nos vieux comptes avant que je meure.

Pierre, étonné, se tourna vers son père qui ajouta :

— Ça ou n'importe quoi, mais fais-lui comprendre qu'on a besoin de temps.

Malgré cette tentative maladroite pour noyer le poisson, Pierre se mit à redouter le moment où ils allaient enfin les régler, ces fameux vieux comptes.

*

Quand il venait au chalet de P-É, Pierre allait souvent se ravitailler à Ferme-Neuve et il savait que, dans l'entrée du supermarché de la 9e Avenue, il trouverait un téléphone public.

Il se fit faire de la monnaie et composa le numéro d'Aube. En entendant sonner, il pria très fort et, à sa plus grande joie, elle prit l'appel. Il était rassuré d'entendre sa voix, de savoir qu'elle allait bien, ainsi que Jason.

Il lui raconta ses péripéties de la veille, les menaces à l'endroit de son père et leur fuite au chalet de P-É. Il omit toutefois de mentionner le plan de Richard pour se livrer à ses assassins. Par contre, il raconta avoir allongé, d'un seul coup de poing, l'homme chargé de les retenir. Pierre conclut son récit en révélant avoir littéralement sauvé la vie de son père.

À plusieurs reprises, Aube crut reconnaître des intonations de Richard, mais se garda bien d'en faire la remarque. Elle raconta, à son tour, sa déposition à la police. Elle n'avait pas parlé de Richard, ni de Fradette, mais n'avait pu garder pour elle ses soupçons quant aux activités illégales menées à la Fondation, en lien avec la mort de Chicoine et le vol de l'étude dans son armoire à balais.

— Sans preuve, je ne suis pas certaine que l'inspecteur m'a crue. Plus j'y pense, plus je me dis que la seule personne capable de faire bouger les choses maintenant, c'est ton père. Il faut qu'il aille à la police.

— Il n'est pas prêt. Tout ce qui s'est passé l'a beaucoup stressé, il ne va pas bien. Je ne veux pas lui imposer un retour dans des conditions encore plus stressantes. S'il va à la police, l'histoire ne restera pas secrète longtemps. Il aura tout le monde sur le dos. Il n'est pas en état pour ça. En plus, je sens qu'on a des choses à se dire, lui et moi. C'est maintenant ou jamais.

— D'accord, je comprends. Mais n'attendez pas trop longtemps. Je te passe Jason, il veut te parler.

Pierre fut enchanté d'apprendre que Jason, en bon garde du corps, était resté auprès d'Aube depuis la veille. Leur brève conversation le plongea toutefois dans un réel malaise.

— Dis-moi que c'est pas vrai que grand-p'pa est associé à la mafia.

— Ce n'est pas comme ça que les choses se présentent, Jason.

— J'espère. Explique-moi alors pourquoi vous n'êtes pas allés à la police directement. Si grand-p'pa sait quelque chose sur le gars qui est mort, il doit aller le dire. À moins qu'il ait des choses à se reprocher ?

— C'est plus compliqué que ça. Je sais que tu as des dizaines de questions en tête, mais je ne peux pas répondre à sa place. Moi-même, je ne comprends pas tout. Pour l'instant, il ne va pas bien, il doit se reposer, mais tu pourras le voir bientôt.

— Quand ?

— Je ne sais pas, dit Pierre.

Il perçut nettement la déception et même le défi dans le ton de Jason, qui conclut en disant :

— Je t'avertis, je n'attendrai pas des jours et des jours.

Puis, Jason raccrocha. Il avait dit ces mots comme s'il avait accordé un sursis temporaire avant le prononcé d'une sentence. Pierre sortit dans le stationnement prendre une bouffée d'air et constater l'étendue du gâchis. Il revint dans le supermarché et fit des emplettes en prévision d'une longue réclusion.

*

Quand Pierre revint au chalet, Richard dormait et il ne voulut pas le réveiller. Il entra ses sacs d'épicerie juste avant la pluie. Le ciel s'était couvert rapidement et une pluie drue se mit à tomber. Pierre prépara ensuite un mijoté au bœuf et aux légumes.

Richard se réveilla quelques heures plus tard, le cœur au bord des lèvres, malgré la bonne odeur de ragoût qui flottait dans l'air. Il s'assit sur le sofa, l'air renfrogné, la mine défaite.

— As-tu parlé à ta blonde?

— Elle s'appelle Aube.

— Ben oui, ben oui, s'impatienta-t-il. Raconte.

Pierre lui rapporta fidèlement leur conversation. En l'écoutant, Richard fut un peu rassuré de savoir qu'Aube était sortie déçue du poste de police. Plus encore, il fut franchement soulagé d'apprendre qu'elle s'était fait voler l'étude bidon, mais se garda bien de le montrer, de peur qu'on l'accuse d'être de mèche avec les voleurs.

— Elle pense que tu dois aller à la police, annonça Pierre. Elle dit que tu es le seul à pouvoir faire bouger les choses.

— J'irai pas et tu sais pourquoi.

— D'accord, mais je ne sais pas comment tu vas expliquer ça à Jason.

Richard parut aussitôt ébranlé.

— Pourquoi tu me parles de Jason? Laisse-le en dehors de ça.

— Il est trop tard. Je craignais pour la sécurité d'Aube et j'ai demandé à Jason de venir veiller sur elle pendant mon absence. Aube a dû lui parler. Il semblait avoir beaucoup de questions à te poser. Il avait l'air en colère.

— Elle lui a tout raconté ! C'est pas vrai ! s'exclama Richard en se prenant la tête à deux mains. J'ai l'air de quoi ? Vraiment ! Quelle tarte ! À cause d'elle, mon petit-fils me prend pour une fripouille maintenant.

— T'es pas gêné, s'indigna Pierre. C'est toi la tarte qui s'est acoquinée avec la mafia ! TU es LE responsable de tout ce qui t'arrive aujourd'hui. Tu n'as que toi à blâmer.

— Je n'ai pas eu le choix !

— C'est pas vrai, rétorqua Pierre, choqué. Moi, je pense que tu ne pouvais plus te passer de tous ces gens admiratifs devant le succès de tes collectes de fonds pour la Fondation. L'argent entrait à pleine porte et ils pensaient que c'était grâce à toi. Ça te donnait une belle réputation.

— Pas du tout ! mentit Richard.

— Papa ! Réveille ! T'es tout seul à croire à tes menteries.

Richard prêchait depuis toujours le sens de l'engagement, du don de soi et du souci de l'autre, mais depuis la mort de Francine, Pierre était intimement convaincu que son père n'était qu'un imposteur. S'il parlait fort et cherchait constamment à imposer sa volonté, c'était pour masquer le grand vide qui l'habitait, le gouffre d'insignifiance.

— Tu t'es toujours soucié juste de toi, même quand tu t'occupais supposément des autres. À la mort de David, t'as pas pu résister à l'envie d'attirer sur toi toute l'attention. « Venez voir un grand-père atterré, qui vit son calvaire comme le Christ dans la Passion, rompu de douleur. » Les journalistes t'ont collé au cul pendant des jours, ce n'était certainement pas pour te déplaire.

— Pierre, tu vas trop loin.

— Les gens t'ont vu souffrir et ils t'ont bien aimé dans ce rôle-là, alors tu n'as pas voulu les décevoir et tu as mis le paquet. T'es devenu le grand-papa gâteau du Québec. Mais David, dans tout ça, tu t'en foutais complètement.

En fait, il t'a probablement été beaucoup plus utile mort que vivant.

— Ce que tu dis là est monstrueux, Pierre.

— C'est parce que tu es un monstre, jamais rassasié de l'admiration ou de la compassion des autres. Même la pitié, tu t'en contentes, pourvu qu'on s'intéresse à toi. Quand j'étais petit, la seule façon que j'ai trouvée pour avoir un peu d'amour de ta part, c'était de penser d'abord à toi. Plus je m'occupais de toi, plus je te faisais bien paraître, plus il y avait de chances que tu m'aimes. Jusqu'au jour où j'ai vu un petit chiot, chez un de mes amis, qui n'arrêtait pas de courir après sa queue. Tout le monde riait, mais, moi, j'avais envie de pleurer en le regardant courir comme un malade après quelque chose qu'il n'attraperait jamais. Je me suis reconnu. C'est là que j'ai compris ce que c'était que d'être ton fils.

— Et toi? Qu'est-ce que tu t'imagines? interrompit Richard. Crois-tu vraiment que t'es le fils que je souhaitais? Et pourtant, Dieu sait que je t'attendais! Quand t'es venu au monde, je sautais de joie. Enfin! J'avais un fils, un prolongement de moi-même. Dans ma tête de père, j'avais la responsabilité de tout faire pour te permettre d'aller plus loin que moi, de devenir plus fort, plus intelligent. En fait, t'étais le seul être humain pour qui j'aurais accepté de perdre, de m'effacer, si tu t'étais montré à la hauteur, si t'avais essayé, juste essayé, d'être meilleur que moi. Mais t'as raté toutes les occasions et t'as laissé passer toutes les chances que je t'ai données. J'avais peut-être trop d'attentes, mais tu m'as déçu. Tu sais sans doute de quoi je parle. Toi aussi, tu as un fils qui t'a déçu. Toi aussi, tu lui reproches de ne pas être à la hauteur. Toi aussi, ton fils te déteste… Alors, fais-moi pas chier et donne-moi mes pilules.

*

À cause du stress et de l'anxiété, l'état de Richard se détériorait rapidement. Il avait, pour ainsi dire, perdu toute forme de contrôle sur son traitement de la douleur et gobait simplement des pilules, deux d'un coup, quand ça faisait trop mal.

Il ingurgitait chaque jour autour de 240 mg de morphine et il en subissait péniblement les effets secondaires. Il endurait une nausée constante et vomissait régulièrement. Des cauchemars effroyables le réveillaient jusqu'à cinq ou six fois chaque nuit, et le manque de sommeil réparateur exacerbait son agressivité. Il explosait à la moindre contrariété et gaspillait ses forces en se fâchant pour rien.

À part ces coups de gueule, ils ne s'étaient pratiquement plus adressé la parole depuis leur dernière dispute. Au matin du cinquième jour, Richard examina le contenu de son flacon de comprimés et s'inquiéta.

— Il faut que tu ailles voir le Dr Ravel, j'ai quasiment plus de médicaments. Demande-lui de me donner quelque chose d'autre, de plus fort, je ne sais pas. Je suis certain que ce sont mes pilules qui me rendent malade.

Pierre fit exactement ce que lui avait demandé son père. Les deux derniers jours avaient été éprouvants et il n'en pouvait plus de le voir malade comme un chien. En partant maintenant et s'il se dépêchait, il serait revenu en milieu d'après-midi.

Trois heures plus tard, Pierre garait sa voiture près du cabinet du médecin. Dès qu'il vit Pierre assis dans sa salle d'attente, le Dr Ravel s'angoissa. Au risque de faire des mécontents chez ses autres patients, il lui fit signe de passer immédiatement dans le bureau.

— Pierre ! Qu'est-ce qui se passe ? s'exclama le docteur, inquiet.

— Ce serait vraiment trop long à raconter. Tout ce que je peux dire, c'est que, mon père et moi, on a été obligés de quitter Montréal pour un certain temps. Je viens vous voir parce que ses pilules ne le soulagent plus. Il est très malade…

Le médecin reconnut tous les symptômes que lui décrivit Pierre.

— Il en prend combien?

— Deux comprimés, six ou sept fois par jour.

— C'est trop. Je vais te prescrire autre chose. C'est de la morphine aussi, mais en injections sous-cutanées, il en faut moins, ça va réduire les effets secondaires. Ce n'est pas compliqué. Commence par des doses de 20 mg aux quatre heures et tu verras bien. Tu ajusteras ses doses au besoin, mais pas plus que 5 mg à la fois.

— Pouvez-vous m'en donner le plus possible?

— Je peux seulement t'en prescrire pour vingt-huit jours. Ça va aller?

— Je ne sais pas combien de temps on sera partis.

En cherchant son carnet d'ordonnances, le Dr Ravel cachait mal son trouble. La nouvelle que son vieil ami souffrait le bouleversa. Sa main tremblotait en rédigeant la prescription. Ironiquement, son écriture devint plus lisible.

— Pierre, ton père est vraiment très malade. Je sais que tu lui en veux beaucoup, mais il ne te reste pas grand temps pour faire la paix avec lui. Parce que ses jours sont comptés, il me semble que c'est le temps que tu saches ce qui s'est vraiment passé au moment de la mort de ta mère.

— Si c'est pour me dire qu'on est tous des humains et qu'on fait tous des erreurs, vous pouvez laisser faire.

— Non, Pierre. Je vais te dévoiler un secret. Veux-tu le savoir?

Pierre hésita. Il comprit qu'Yvan Ravel allait vraiment lui faire une importante déclaration. Un peu craintif, il répondit que oui, il voulait savoir.

— Depuis des années, tu méprises ton père en l'accusant d'avoir été trop lâche pour accompagner ta mère dans sa maladie, alors qu'en vérité ton père n'a pas eu le courage de remplir une promesse que ta mère avait exigée de lui. Quelques semaines après le diagnostic de la maladie d'Alzheimer, ta mère a demandé à ton père si, le jour où elle devrait porter des couches et sombrerait dans la démence, il accepterait de l'aider à mourir.

Pierre avait cessé de bouger. Il respirait à peine pour être certain de ne rien manquer de ce que racontait le médecin.

— Au début, il ne voulait pas, mais elle a beaucoup insisté et il a fini par accepter. Il a même promis qu'il le ferait. C'était une chose de promettre, mais c'en était une autre d'agir. Plus la maladie avançait, plus ta mère perdait ses facultés. Alors, dans ses moments de lucidité, elle pressait Richard de remplir sa promesse, elle lui disait que c'était le temps. Il devait trouver de l'héroïne et lui injecter une dose mortelle. Je devais passer ensuite et déclarer la mort naturelle. Ton père n'a pas été capable de le faire. Il s'est dégonflé et plus ta mère insistait, moins il venait la voir. Tu te souviens de ce fameux samedi après-midi où elle est revenue à elle, bien lucide, et a réclamé ton père? Il est arrivé deux heures trop tard parce qu'il savait très bien de quoi elle voulait lui parler. Il n'était plus capable de la voir souffrir à cause de lui. Pas plus qu'il n'était capable de l'aider à mourir. Quand il s'est mis à boire et à sortir, tu le pensais sur le party, alors qu'en fait il était en pleine déroute et cherchait à s'étourdir par tous les moyens. Comme Francine lui avait interdit de t'en parler, ton père a préféré passer pour un sans-cœur à tes yeux plutôt que de trahir le secret de ta mère et de t'avouer sa lâcheté. Est-ce qu'on peut lui en vouloir aujourd'hui? Je ne sais pas. Chacun a sa réponse. Lui, en tout cas, ne se pardonne pas d'avoir laissé Francine agoniser. Ton discours au banquet du Panthéon l'a replongé dans sa culpabilité. En te disant ça, je sais que je ne me mêle pas de mes affaires. Ton père va m'en vouloir pour ça, mais je m'en fous. Tu devais connaître la vérité.

Pierre, abasourdi par cette révélation, sentit ses souvenirs s'embrouiller. Se pouvait-il que la réalité soit si loin de ce qu'il avait toujours cru ?

7

Le changement de médicament fut des plus bénéfiques pour Richard. Rapidement, les effets indésirables de la surdose de morphine s'estompèrent et il retrouva un semblant de qualité de vie. Il put se lever, sortir et marcher un peu, mais les épreuves de la dernière semaine lui avaient ajouté dix ans de vie. Il dormait beaucoup mieux, mais jusqu'à quinze ou seize heures par jour afin de récupérer le sommeil perdu. Il retrouva l'appétit. Richard flottait dans ses vêtements, mais au moins, il cessa de perdre du poids.

Contre toute logique, Pierre espérait encore que l'enquête avance rapidement. Tous les matins, il se rendait à Ferme-Neuve, espérant lire à la une des journaux que les assassins de Vincent Chicoine avaient été arrêtés. Il était chaque fois déçu. Il achetait quelques provisions et revenait à la cabane, où son père dormait paisiblement.

Pour passer le temps, il s'était lancé dans des travaux sur le terrain. Il nettoya le sous-bois, ramassa les troncs et en fit du bois de chauffage. Il effectua aussi de petites réparations sur le bâtiment, repeignit la porte d'entrée et changea quelques bardeaux du toit.

Le changement de médicament avait aussi eu des effets apaisants sur leur relation. Tout de suite après ses injections, Richard devenait doux, facile à vivre. À croire que cet homme souffrait tellement et depuis si longtemps que seule la morphine lui permettait d'exprimer sa vraie nature, libérée de son ego carencé.

Dès que les effets euphoriques se dissipaient, il redevenait le Richard frustré qui se comportait en otage, rouspétant sans cesse. Un matin toutefois, dans un moment de lucidité, Richard posa une question, sans aucun reproche ni aucune agressivité dans la voix.

— Combien de temps, à ton avis, on va devoir se cacher encore ?

— Très franchement, je ne le sais pas, répondit Pierre.

— J'ai une solution, moi, pour nous sortir de l'impasse. Tu sais ce que c'est ?

Pierre ne dit rien, préférant attendre la suite.

— Le plus simple serait que je meure ici.

Pierre avala de travers sa gorgée de café.

— Prends le temps d'y penser. Si tu m'aidais à partir maintenant, tu ne ferais que devancer ma mort de quelques semaines, un mois peut-être. Ça soulagerait bien des gens. À commencer par Fradette. Et ça te permettrait de retrouver Aube. Tu n'aurais qu'à me donner plus de morphine à ma prochaine injection, puis à dire que ma douleur était trop intense et que je n'ai pas pu supporter la dose. Yvan va confirmer, tu ne seras pas embêté. Toi qui me reprochais de vouloir jouer au héros et mourir en martyr. Là, ce serait tout le contraire. Je mourrais en douce, loin des regards.

Même en disant cela, son père cherchait encore à créer sa légende, croyait Pierre. Le grand disparu, comme un animal blessé parti se cacher pour mourir. Sortez les mouchoirs et les violons…

Pierre eut une pensée pour sa mère, dans sa propre déchéance, en train de supplier Richard de tenir sa promesse.

— Tu voudrais que je t'évite de souffrir, c'est ça? Mais toi? Qu'est-ce que tu ferais à ma place? demanda Pierre en fixant son père droit dans les yeux.

Richard détourna le regard avant de répondre.

— Je n'hésiterais pas.

— T'es certain? Je vais te poser la question autrement: raconte-moi ce que tu as fait la fois où tu t'es retrouvé à ma place.

— De quoi tu parles? demanda Richard, soudainement très nerveux.

— De ce qui s'est vraiment passé entre toi et maman. Le Dr Ravel m'a tout raconté.

— Ah oui? Il t'a tout raconté?

Richard pesta intérieurement contre Yvan. Il se trouvait coincé et, comme chaque fois, il devint sarcastique.

— T'as dû faire tout un saut! Pendant des années, t'as cru que j'étais un sans-cœur et, tout à coup, tu découvres qu'en réalité je suis un lâche. Tout un rebondissement!

— P'pa... Pourquoi tu ne m'as rien dit?

— Parce que j'ai promis à ta mère de garder le silence.

— Ah! T'as promis. Au moins, cette promesse-là, tu l'as tenue. Après l'avoir laissée mourir à petit feu. Je te trouve mal placé pour me demander d'abréger tes souffrances.

Richard se perdit pendant quelques instants dans ses pensées et Pierre n'osa pas rompre le silence.

— Vois-tu l'ironie de la situation? enchaîna Richard avec un sourire en coin. Tu m'as sauvé la vie. C'est vrai que je n'avais pas le droit d'exiger que tu m'abandonnes entre les mains de mes assassins. Mais si tu m'as sauvé pour me regarder agoniser, c'est pas lâche, c'est sadique. C'est comme ça que tu espères venger ta mère?

— Je ne répondrai pas à ça.

Pierre consulta sa montre et constata avec soulagement que c'était l'heure de l'injection. Il lui administra la dose normale. Quand son père sentit les premiers effets du médicament, il lui demanda en chuchotant de s'approcher. Pierre tendit l'oreille et les paroles de Richard, rompu de douleur et à l'agonie, résonnèrent dans sa tête comme un écho lancinant :

— Je t'en supplie. Aide-moi. Soulage-moi.

*

Aube n'avait pas parlé à Pierre depuis quelques jours, mais elle respectait son silence. Elle avait de plus en plus de mal, par contre, à calmer Jason, impatient d'aller à la rencontre de son grand-père et de tirer les choses au clair. Tous les jours, il lui téléphonait.

— Ton père a demandé qu'on les laisse seuls pour un temps, répétait Aube. On doit respecter ça.

— Ça fait plus d'une semaine qu'ils sont partis. J'ai été patient, mais c'est assez. Dis-moi où ils sont. Tu le sais, j'en suis sûr.

Aube devait admettre, elle aussi, que c'était long. Les jours passaient, rien ne bougeait. Combien de temps allaient-ils perdre encore ?

— Ils sont au chalet de Philippe-Étienne, avoua Aube.

— Que tu sois d'accord ou non, j'y vais, annonça Jason. Et si tu ne veux pas me dire où est le chalet, je vais demander directement à Philippe-Étienne.

— Ce ne sera pas nécessaire de le déranger, dit-elle. Viens me chercher chez moi dans une demi-heure… J'y vais avec toi.

Jason avait raison, le temps pressait. Richard devait parler pour dénoncer le meurtrier de Chicoine et les crimes perpétrés à la Fondation. Si lui ne venait pas témoigner, elle irait elle-même dans sa retraite recueillir son témoignage sur vidéo.

À l'heure dite, Aube monta dans la voiture de Jason et ils se mirent en route pour le lac Gravel.

— Enfin, dit Jason, il était temps qu'il se passe quelque chose. J'ai tellement hâte de leur voir la face quand ils vont nous voir débarquer. Surtout celle de mon père. Très franchement, je ne crois pas du tout à leur histoire de vieux comptes à régler, affirma Jason sans nuance. C'est du Pierre Desgroseillers tout craché. Mon grand-père n'arrête pas de dire qu'il vit trop dans le passé. Ça l'énerve. Moi aussi, ça me tombe sur les nerfs.

— Tu ne l'aimes pas beaucoup, ton père, constata Aube.

— Il ne m'aime pas beaucoup lui non plus. Il me trouve borné. Depuis que je suis entré dans l'armée, c'est pire. Lui, son préféré, c'était mon petit frère, David. Quand il est mort, mon père s'est retrouvé sans fils à aimer vraiment. On dirait que moi, je n'existais pas à ses yeux. Il n'en avait que pour David et, avec le temps, il s'est mis à l'idéaliser, à enjoliver ses souvenirs. C'est certain que moi, dans ma petite réalité ben ordinaire, j'étais décevant. C'est pour ça que je préfère mon grand-père. Lui m'a toujours encouragé. C'est vraiment lui qui m'a inspiré. Tous mes chums le connaissent et ils m'envient d'avoir un grand-père comme lui.

En parlant de son grand-père cette fois-ci, Jason n'arriva pas à s'enthousiasmer comme d'habitude. Il éprouvait un sentiment confus, une crainte sourde de trouver des failles dans le monument qu'était Richard à ses yeux. Pourquoi tardait-il tant à se rendre à la police ? Avait-il des choses à se reprocher ? Si un scandale impliquant son grand-père devait éclater, ce serait une épreuve cent fois pire que d'apprendre le retour du cancer. Ce serait le déshonneur !

Pour éviter de sombrer dans ces idées noires, Jason s'accrochait encore à l'espoir. Il devait y avoir une explication logique à son silence. Plus le temps passait toutefois, moins la pensée magique agissait.

Pendant tout le reste du trajet, ils ne parlèrent pratiquement plus. Aube préparait mentalement son entrevue avec Richard. Son plan était d'obtenir une dénonciation complète et, aussitôt cela fait, elle comptait repartir avec son enregistrement vers le premier réseau Wi-Fi pour poster sa vidéo sur YouTube et ensuite transmettre le lien aux corps policiers, aux médias, sur les réseaux sociaux, à tous les intéressés.

Si tout se passait comme elle le souhaitait, dans les heures suivantes, des extraits de la vidéo de Richard tourneraient en boucle sur les réseaux d'information en continu et les experts de la police seraient déjà en train d'en analyser le contenu. À ce moment-là, toute la racaille associée au scandale partirait se cacher, comme des rats, mais les policiers allaient faire leur travail et arrêter tous ces escrocs. Peut-être rêvait-elle en couleur, mais elle allait faire tout son possible pour réaliser ce rêve..

Jason, lui, devenait plus fébrile à mesure que défilaient les kilomètres. Il redoutait le moment de son arrivée, les retrouvailles. Après plus d'une semaine au fond des bois, s'étaient-ils entre-tués ? Dans quel état était son grand-père ? Allait-il répondre franchement à ses questions ? Il avait peur.

Sur le chemin menant au lac Gravel, Aube prit la relève du GPS. Ils s'engagèrent trois ou quatre fois sur de fausses routes avant de trouver la petite rue conduisant au chalet. Jason aperçut la voiture de Richard camouflée sous les branches.

— La Mercedes ! C'est ici ! s'écria-t-il.

*

Pierre s'acharnait à fendre une énorme bûche quand il entendit un véhicule arriver. Il eut tout juste le temps de s'accroupir derrière le tas de billots. Richard dormait à l'intérieur.

Il entendait la voiture avancer lentement sur le chemin, mais la végétation l'empêchait encore de la voir. Quand elle stoppa près du chalet, Pierre reconnut tout de suite l'automobile de Jason. Il faillit perdre le souffle en voyant Aube en descendre. Il bondit de sa cachette en criant:

— Aube!

Pierre n'en crut d'abord pas ses yeux, mais il dut se rendre à l'évidence, c'était bien elle.

Elle le vit s'approcher, les muscles bien gonflés par le travail, et mesura à quel point il lui avait manqué. Elle le serra dans ses bras et l'embrassa en se retenant d'aller plus loin.

Voyant Jason sortir à son tour de la voiture, Pierre lui fit aussi l'accolade.

— Je suis content de te voir, t'as pas idée. Merci d'avoir veillé sur elle.

— Où est grand-p'pa? Comment va-t-il?

— Il est à l'intérieur. Il va mieux, mais il n'est pas très en forme. La maladie a progressé. Il a vécu beaucoup de stress et il a eu des problèmes avec ses médicaments.

— Je peux le voir?

— Il est dans la chambre. S'il dort encore, réveille-le pas, il a besoin de sommeil.

Jason entra doucement dans le chalet. Aube et Pierre s'assirent sur les chaises de la plage, en se rapprochant le plus possible. Elle palpait sa peau un peu humide, heureuse de le retrouver indemne. Malgré l'environnement calme dans lequel il baignait depuis une semaine et demie, il avait les traits tirés. L'expérience du huis clos avec Richard semblait pénible.

— Est-ce qu'on arrive au mauvais moment? demanda-t-elle. Avez-vous fini de régler vos comptes?

— Ouais, bof... Nos vieux comptes... Je ne sais pas trop. Les trois ou quatre premiers jours, il était malade comme un chien à cause du stress et de son médicament. J'ai dû revenir à Montréal, son médecin m'a prescrit autre chose. C'est mieux, mais il dort seize heures par jour. On a quand même pu avoir quelques conversations. Des conversations que j'aurais peut-être préféré ne pas avoir. Je ne suis plus sûr de rien, maintenant.

Aube mesura à cet instant toute la profondeur du désarroi de Pierre. De toute évidence, les derniers jours l'avaient éprouvé. Il paraissait accablé et elle lisait même la déroute dans ses yeux.

— Qu'est-ce qui se passe, Pierre? demanda-t-elle d'une voix douce.

Après un long silence et la voix chargée d'émotion, il avoua:

— Mon père m'a demandé de l'aider à mourir.

Aube ne put cacher son trouble en entendant cette déclaration.

— Il a peur de souffrir, et il ne veut surtout pas être obligé de vivre le scandale et tomber en disgrâce de son vivant. Depuis deux jours, je rumine la question, mais pour être franc, je ne trouve que des raisons mesquines de refuser. Je rêve de venger ma mère en le laissant souffrir, de le maintenir en vie jusqu'à ce qu'éclate le scandale et que tout le monde voie l'imposteur en lui. Quand j'y pense, c'est comme du poison qui coule dans mes veines et ça me fait douloureusement beaucoup de bien. Dans le fond, je sais que je ne serai pas capable d'assumer cette rancœur et ma culpabilité pour le restant de mes jours. Pour me guérir du manque d'amour de mon père, je commence à comprendre qu'il faut juste que j'arrive à l'aimer un peu plus, en le soulageant de ses peurs et de ses douleurs.

Aube écouta Pierre sans l'interrompre, sans briser le silence qui suivit ces paroles, les plus graves qu'il ne lui ait jamais confiées. C'est Pierre qui parla le premier. Se sachant à l'abri des regards, il proposa:

— T'as envie de te baigner?

Elle fit oui de la tête, les yeux pleins de désir.

*

Dans le chalet, Jason entrouvrit la porte de la chambre. Il trouva son grand-père en pleine sieste. Il n'avait retiré que ses chaussures et s'était étendu sur le dos, tout habillé, par-dessus les couvertures.

S'approchant du lit, Jason eut un coup au cœur en le voyant, décharné et le teint cireux. Sa respiration lente et régulière témoignait de son calme et de sa quiétude.

— Grand-p'pa… C'est moi, Jason…

Malgré la mise en garde de son père, il n'avait pas résisté à l'urgence de parler à Richard. Le grand-père ouvrit lentement les yeux et son visage, tout ensommeillé, s'illumina quand il reconnut son petit-fils.

— Jason !

Richard exprima sans réserve sa joie de revoir son petit-fils. Jason, par contre, avait du mal à s'abandonner au moment, un peu effrayé à la vue du vieillard amaigri et préoccupé par la discussion tant attendue qui allait avoir lieu.

Une fois les effusions des retrouvailles terminées, Jason s'assit au bord du lit et révisa mentalement les questions qu'il voulait lui poser.

— Qu'est-ce qui est arrivé, grand-p'pa? Pourquoi tu te caches?

— Je ne me cache pas. Je me repose.

Jason, dans son empressement à vouloir tout savoir, ne voyait pas qu'il bousculait son grand-père, à peine réveillé.

— J'ai entendu plein de choses dernièrement. C'est vrai ce que m'a raconté Aube Desbiens? Tu connaissais le cycliste du mont Royal?

— Oui, c'est un ancien de la Fondation.

— C'est vrai qu'il serait mort à cause d'affaires louches qui se passent à la Fondation?

Richard fut saisi par la question et par le ton de Jason, qui exigeait des réponses. Il bafouilla quelques mots sans suite avant de formuler une phrase complète.

— Si tu me poses la question, c'est que tu as une idée de la réponse. Qu'est-ce que tu sais au juste?

Jason déballa ce qu'Aube lui avait raconté avec tous les détails.

— Je ne comprends pas! conclut-il. Comment t'as pu accepter de collaborer avec la mafia?

— Je suis désolé, mon grand. Je ne sais pas quoi te répondre. Parce que je me pensais plus fin que tout le monde, hasarda Richard. Parce que j'ai voulu jouer au héros, à Robin des bois qui prend l'argent des méchants pour le donner aux bons. C'était stupide et j'ai perdu. Pardonne-moi.

— C'est tout? Mais tu n'as même pas essayé de réparer les choses! Pourquoi t'es pas allé à la police?

— Parce que je me suis fait piéger. Les policiers vont trouver des preuves contre moi et m'arrêter. Tu me vois dans un char de police entouré d'une meute de journalistes? Pas moi.

Pour la première fois de sa vie, Jason voyait son grand-père vaincu, abattu, le regard éteint. Une profonde déception se mêlait maintenant à sa colère. Jason sortit de la chambre, sous le choc brutal de la désillusion.

Richard se leva lentement quand Pierre et Aube revinrent dans le chalet. En voyant Aube, Richard garda pour lui sa surprise. Malgré lui, il la percevait maintenant comme un oiseau de malheur.

Décelant le sentiment de Richard, Aube s'approcha quand même.

— Bonjour, je suis contente de vous voir, dit-elle simplement. Est-ce que je peux vous parler seule à seul?

Richard devint méfiant, mais accepta de l'entendre.

— Les gars…

Quand Pierre et Jason furent sortis du chalet, Richard parla le premier.

— Si c'est pour me convaincre d'aller à la police, tu perds ton temps.

— Pas du tout. Mais sachez que, grâce à votre silence, tout continue comme avant à la Fondation et la mort de Chicoine demeure irrésolue. Seul vous pouvez faire bouger les choses. Il faut agir maintenant. Je suis venue recueillir votre témoignage.

— Non, je ne peux pas.

— Écoutez ma proposition, vous déciderez après. Mon plan est de réaliser avec vous une entrevue où vous raconterez tout ce que vous savez, les noms, les faits. Ensuite, j'enverrai la vidéo sur YouTube et je placerai le lien partout. Si mon plan fonctionne, en une heure ou deux, la vidéo deviendra virale. En faisant vite, vous serez de tous les bulletins de nouvelles ce soir.

Ces paroles résonnèrent comme un chant mélodieux aux oreilles de Richard. Contre toute attente, il entrevoyait de nouveau la possibilité de partir honorablement de ce monde. Il reprit d'un coup du poil de la bête. Le plan pouvait marcher, mais à une condition…

— Je veux parler à Pierre avant d'accepter.

Quand ils furent seuls, Pierre s'étonna du revirement soudain de Richard, qui acceptait la proposition d'Aube.

— Mais à une condition, insista son père, et tu sais laquelle. Veux-tu, oui ou non, m'aider à partir ? Si c'est oui, tu devras agir rapidement. Après, on n'aura peut-être plus le temps, ça va aller trop vite.

Pierre se leva en se grattant la tête. Il se dirigea vers la fenêtre et revint au fauteuil. Le regard rivé au plancher, il se racla la gorge deux fois et finit par dire tout bas :

— OK, je vais le faire.

*

Richard s'était vite fait une idée de ce qu'il devait faire. Lui, généralement si soucieux de son apparence, décida de garder sa barbe de trois jours et dépeigna un peu ses cheveux. Il avait refusé qu'Aube apparaisse à l'écran, préférant la formule « témoignage clandestin », et voulait s'en tenir à une simple déclaration plutôt que de faire une entrevue journalistique. Il demanda qu'on le prenne en plan rapproché sur fond sombre.

L'heure de son injection était passée, mais il refusa que Pierre la lui administre avant de prendre la parole. Plutôt supporter la douleur et rester crédible que de planer à six pouces du sol.

En essayant de se souvenir des grandes lignes de sa lettre de dénonciation, écrite deux semaines plus tôt, il observait Jason, l'air hagard. Plus que tout, il espérait que cette vidéo ravive l'estime de son petit-fils déçu.

Pierre observa son père et son apparence négligée. Il n'était pas dupe et comprit vite que Richard voulait se donner l'allure d'un otage en fin de captivité, histoire de susciter la compassion. Il ne trouva pas la force de lui reprocher cette mise en scène et accepta même d'y collaborer. Il fit endosser à son père une chemise blanche un peu sale et froissée, qui lui affadissait le teint. Il demanda aussi à Jason d'utiliser l'application lampe de poche de son téléphone pour éclairer le visage de Richard et augmenter l'effet dramatique. Voilà, Richard allait jouer son dernier grand rôle.

Aube cadra l'image et, quand ils furent prêts, elle appuya sur le bouton en faisant un signe à Richard.

— Mes chers amis, je m'adresse à vous pour la dernière fois, car je vais bientôt mourir…

Peu de temps après le début de sa déclaration, une douleur s'installa lentement mais sûrement dans son épaule et mina sa concentration. Il se perdit quelquefois dans des explications vaseuses et fit un peu de coq-à-l'âne. Malgré ses bafouillages, il dénonça l'essentiel et, plus important encore, nomma tous les responsables et leurs complices.

— Maintenant que vous connaissez la vérité, vous vous demandez sûrement quelle a été ma participation au stratagème. J'ai prêté mon nom et ma crédibilité, mais je jure solennellement n'en avoir tiré aucun bénéfice personnel. Je l'ai fait parce que ça rapportait de l'argent à la Fondation Dreaming et que cet argent servait à faire le bien.

C'est tout. Toutefois, je sais déjà que l'enquête va prouver que j'ai tiré profit de ces opérations, mais c'est faux. Je n'ai que ma parole d'honneur pour vous convaincre de ma bonne foi. Par contre, je m'avoue coupable d'un manque grave de jugement pour avoir collaboré avec des criminels, malgré mes intentions louables.

Comme pour minimiser ses torts, il ajouta :

— Nous devons tous être vigilants. Pour opérer, le crime organisé a besoin de gens comme vous et moi, pas vraiment malhonnêtes, mais pas complètement vertueux non plus. Et il en trouve. Des milliers de personnes acceptent d'agir comme prête-noms dans toutes sortes de combines, en échange d'argent sale. Nous sommes tous responsables…

Richard souffrait et n'arrivait plus à cacher sa douleur, ce qui ajoutait beaucoup de tragique à la situation.

— À tous ceux et celles que j'ai déçus ou qui se sentent floués, en particulier mon fils et mon petit-fils, je vous demande humblement pardon. Acceptez mes excuses.

Se détournant de l'objectif, il dit à Aube :

— Arrête. Je suis plus capable.

Ainsi se terminait la vidéo.

Jason fut très impressionné de voir Richard s'effondrer sous la douleur et l'épuisement, qui n'avaient rien de faux. Il venait de fournir un effort démesuré, considérant son état. Ils le transportèrent dans la chambre. Pierre lui administra une injection. La douleur s'estompa.

Richard se tourna vers son petit-fils.

— Trouves-tu que j'ai bien fait ça ? lui demanda-t-il.

— Je ne sais pas… Je ne doute pas de tes bonnes intentions, mais, grand-p'pa, ça va me prendre du temps pour accepter tout ça. Pour l'instant, je ne comprends même pas ce qui m'arrive. Tout ce que je sais, c'est que je risque de devenir le petit-fils d'un paria et je ne le prends pas.

— Peut-être pas. Le temps va passer, ça va s'arranger. Les gens vont me pardonner, j'en suis certain.

— T'étais mon modèle, tu comprends.

Pierre interrompit leur échange.

— Jason, j'aimerais que tu accompagnes Aube. Ici, il n'y a pas de réseau. Il faut aller à Ferme-Neuve.

Sachant qu'il le voyait pour la dernière fois, c'est la mort dans l'âme que Richard dut laisser partir Jason sur cette note amère, sans espoir de se racheter, sans même pouvoir lui dire adieu.

*

Aube et Jason étaient partis depuis une quinzaine de minutes et Pierre tournait en rond dans le chalet, tardant à agir. Richard somnolait dans la chambre. Pendant quelques secondes, Pierre l'observa, baignant dans la lumière du soleil qui entrait à pleine fenêtre. Peut-être à cause du geste qu'il s'apprêtait à poser, tout autour de lui semblait prendre un aspect solennel. La lumière, le vent dans les arbres, le chant des oiseaux, tout paraissait plus lent, plus grave.

— P'pa, dit-il doucement en posant la main sur le front de son père. C'est l'heure.

— Pierre ! s'extasia Richard. J'ai eu peur. J'ai cru que tu ne le ferais peut-être pas. Maintenant que j'ai témoigné, t'aurais pu me laisser dormir.

— Ben non. Je t'avais dit que je le ferais. Je vais le faire.

— Bien sûr. Tu me l'avais dit. Oublie tout ce que j'ai pu te reprocher. T'as fait la preuve que tu es une meilleure personne que moi. Tu es capable de me donner ce que je n'ai pas pu offrir à ta mère.

— Ne te fatigue pas.

— Je sais maintenant que si je n'ai pas pu aider Francine, c'est par manque d'amour. En fait, je n'ai jamais su comment l'aimer, ni toi d'ailleurs… C'est pas de ta faute, je n'étais pas capable. Je te demande pardon.

— Pense plus à ça. C'est inutile maintenant, l'interrompit Pierre. Pense juste à de belles affaires. Tiens, parle-moi de quand t'étais petit, au chalet de ton oncle.

Encore sous l'effet de sa dernière injection, Richard s'anima.

— Ah, le chalet de mon oncle Marcel ! Il faisait toujours beau quand on allait là, beau comme aujourd'hui. Le matin, en se levant, on faisait un feu dans le poêle, puis on allait se jeter dans le lac...

Pendant que Richard racontait ses souvenirs en s'y revoyant vraiment, Pierre préparait soigneusement l'injection. Le cœur battant et une boule énorme dans la gorge, il remplit la seringue au complet et la posa sur le bord de la fenêtre.

Il hésitait encore à poser le prochain geste. Il allait accomplir l'irréparable et, malgré lui, il fut pris d'un léger vertige à cette idée. Il peinait à se concentrer et se sentit comme partir à la dérive. Un abîme se formait autour de lui.

Voyant son fils en proie à la panique, Richard prit sa main et se fit rassurant.

— Si tu es prêt, je le suis aussi.

Pierre respira profondément et retrouva un peu d'aplomb. Comme dans un rêve, il prit en main la seringue. Quelques secondes après l'injection, Richard sombra dans un profond sommeil. Sa dernière parole fut : « Merci. »

Pierre resta longtemps à observer Richard, à scruter les traits de son visage désormais figés par la mort. Il mesurait encore mal la portée de son geste, mais il se sentait serein. Il n'était pas heureux du décès de Richard, seulement soulagé qu'ait pris fin son calvaire.

Le plus difficile restait à faire. Il fallait annoncer la nouvelle, organiser le retour et braver la tempête.

*

Trouver un réseau sans fil ne fut pas de tout repos. Jason poussa le bolide jusqu'à Ferme-Neuve en moins de treize minutes. Dans le village, il longea d'abord la rivière. Ils aperçurent une petite auberge.

— Là, peut-être ?

Aube alla vérifier mais ressortit bredouille. Ils tentèrent leur chance dans un restaurant et, plus loin, dans un motel, toujours sans succès. Jason commençait à perdre patience. Il emprunta la 13e Rue et roula au hasard jusqu'à la 6e Rue.

— Là ! s'écria Aube en pointant vers la gauche le garage municipal de Ferme-Neuve.

Jason doutait de pouvoir trouver là un réseau, mais tourna sans hésiter.

Dans le garage, Aube dut s'adapter à l'obscurité, mais elle distingua vite un mécanicien, plutôt jeune, des écouteurs sur les oreilles, penché sur le moteur d'un véhicule tout-terrain sur lequel était écrit « Municipalité de Ferme-Neuve ». Il releva la tête en sursautant quand il vit Aube s'approcher de lui.

— Excuse-moi. Est-ce qu'il y a un réseau sans fil ici ? demanda-t-elle. Je dois envoyer quelque chose de toute urgence.

Contre toute attente, il y en avait un. Quelques années plus tôt, dans un effort de modernisation, la municipalité avait obtenu une subvention pour doter tous ses édifices d'un réseau sans fil et d'un accès à Internet, mais pas à haute vitesse.

« Tant pis », se dit Aube. L'opération serait plus longue, mais elle n'avait pas le choix. Elle accéda à son compte YouTube et commença le transfert.

Elle communiqua d'abord avec le journal. Bien sûr, elle se trouvait en contradiction totale avec son engagement formel de ne plus fouiller cette histoire, sous peine de sanctions graves. Toutefois, avec ce qu'elle tenait, ils pouvaient bien la virer, elle s'en foutait, d'autres voudraient de la nouvelle.

Rémi Bouchard, le rédacteur en chef, saisit immédiatement la pertinence de la vidéo. Il dut batailler ferme avec l'éditeur pour le convaincre, mais il était difficile de s'opposer à la voix de Richard qui cherchait à se faire entendre. La nouvelle sortirait de toute façon. *La Une* fut donc le premier média à en parler sur son site internet.

Aube et Jason revinrent au chalet une heure plus tard avec l'idée de sortir Pierre et Richard de leur trou pour les ramener à Montréal. Jason avait même organisé un transport en ambulance pour Richard.

Jason, le premier, voulut entrer, mais trouva la porte verrouillée. Il frappa. Par le carreau, il vit Pierre sortir de la chambre et fermer la porte derrière lui, avant de venir ouvrir. Après de brèves accolades et un résumé des derniers événements, Aube annonça le départ de tout le monde. Ils devaient tous rentrer à Montréal, le plus tôt possible. Jason dirigeait déjà les ambulanciers qui devaient ramener Richard.

— La chambre est par ici.

Pierre s'interposa.

— Il faudrait que je te parle, Jason.

Un peu à l'écart, Pierre parla tout bas. Aube n'entendit pas ses paroles, mais devina rapidement de quoi il s'agissait.

— Qu'est-ce que tu dis là? s'écria Jason, un peu hostile.

— Je suis désolé.

Jason accusa le coup. Il fixa Pierre droit dans les yeux, comme pour juger de la vérité. Il voulut vérifier par lui-même et se rendit dans la chambre.

— T'as vu l'état dans lequel il était. Après que vous êtes partis, il s'est réveillé, il avait mal, une vraie torture. Alors je lui ai fait une autre injection, mais son système ne l'a pas supporté. Il s'est mis à respirer de plus en plus difficilement, jusqu'à ce qu'il cesse complètement. Quelques secondes plus tard, son cœur s'est arrêté, tout simplement. Je suis désolé.

Jason observa Richard, étendu devant lui, dans la même chemise blanche un peu sale et froissée.

— Il est parti sans me dire adieu, en me laissant juste les pots cassés et ses « humbles excuses ». Mais c'est vrai, quelle importance tout ça ? ajouta Jason avec sarcasme.

Pierre n'ajouta rien, espérant seulement que le temps ferait son œuvre.

*

La mort de Richard Desgroseillers fut confirmée par les autorités en début de soirée. Tous les bulletins de nouvelles diffusèrent des images de la vidéo d'Aube Desbiens montrant Richard livrant son témoignage.

Les médias firent grand cas de la nouvelle, mais compte tenu de la gravité des accusations que contenait la vidéo, ils demeurèrent prudents quant à son contenu, préférant attendre l'avis des experts. On pouvait suivre l'affaire sur les réseaux de nouvelles en continu, où des extraits du témoignage roulaient déjà en boucle.

Aube rencontra le policier chargé de l'enquête sur la mort de Chicoine, le même qui avait recueilli sa déposition quelques jours plus tôt. Elle n'ajouta rien de plus à ce que Richard avait déjà révélé dans sa confession.

Dès son retour à Montréal, Pierre dut subir un très long interrogatoire. Il avait été le dernier à voir Richard vivant. Pierre révéla que son père souffrait d'un cancer des os très avancé, il parla des injections de morphine, prescrites par un médecin. La mort de Richard était survenue parce que son système n'avait pu supporter la dose nécessaire pour soulager la douleur. Le Dr Yvan Ravel confirma les affirmations de Pierre et le disculpa totalement. Au bout de quatre heures d'interrogatoire, Pierre put partir, exonéré de tout blâme et de toute accusation.

Comme prévu, les autorités policières, sous le joug de l'opinion publique, mirent le paquet et promirent de faire rapidement la lumière sur l'affaire. Le témoignage de Richard ne laissait pas beaucoup de zones d'ombre.

Chaque jour, les éléments les plus explosifs sur les rouages du stratagème, l'assassinat de Vincent Chicoine et l'identité des responsables se confirmaient. Même l'existence d'un compte de banque à son nom et dans lequel avaient été déposées des sommes de provenances douteuses fut révélée, comme Richard l'avait lui-même prédit.

L'arrestation d'Yves Fradette, quelques jours plus tard, constitua un moment fort de l'affaire. Lui et ses complices furent accusés de meurtre et de tentative de meurtre, en plus de corruption, de complot, d'abus de confiance, etc.

Adeline Simard, par contre, semblait s'être évaporée. On présumait qu'elle avait quitté le pays et un mandat d'arrêt international fut lancé contre elle. Pierre se l'imaginait déjà se prélassant sur la plage d'un paradis fiscal quelconque.

Pendant quelques jours, le débat concernant la participation de Richard au stratagème fit rage. On en discuta dans les tribunes téléphoniques, sur les réseaux sociaux, dans les journaux. Une large part des opinions émises par la population accordait plutôt foi à la parole donnée par Richard sur vidéo et à son plaidoyer d'innocence. On l'accusait d'avoir manqué de jugement, tout en estimant « moralement défendable » le fait de détourner de l'argent sale au profit des enfants malades. Ses détracteurs, au contraire, prétendaient que Richard s'était perdu dans une errance morale en pactisant ainsi avec le crime organisé tout en prétendant faire le bien. « On ne peut servir qu'un seul maître à la fois », répétaient certains.

Pendant deux jours, Pierre se prêta d'assez bonne grâce aux demandes des journalistes et accorda plusieurs entrevues. L'ironie faisait qu'aujourd'hui encore, il était condamné à trouver les mots pour dire tout le bien qu'il pensait de son père et pour défendre son intégrité.

Quand il accepta, quelques semaines plus tard, de raconter les derniers jours de la vie de son père pendant une grande entrevue télévisée, il décrivit littéralement la mort d'un héros. Il parla de lui avec une réelle émotion. L'émission enregistra des cotes d'écoute inégalées. Le nom de Richard Desgroseillers ne pouvait être mieux défendu et Jason allait pouvoir marcher la tête haute.

*

Pierre et Jason décidèrent d'organiser des obsèques privées, où ne furent invités que les plus proches amis de Richard. Dans les circonstances, et considérant les doutes que l'affaire Dreaming soulevait, il valait mieux éviter de donner à l'événement trop d'ampleur. Une vingtaine de personnes tout au plus se rassemblèrent donc autour de la tombe de Richard, qu'on allait mettre en terre. L'officiant prononça des paroles édifiantes.

Il se produisit alors un phénomène inattendu. Les proches de Richard virent se masser autour d'eux, mais à bonne distance et dans un silence respectueux, des dizaines de personnes, des badauds, des anonymes que Richard avait un jour touchés ou peut-être aidés sans le savoir. Bientôt, quelques centaines de personnes vinrent se recueillir pour rendre un dernier hommage à Richard. Elles restèrent immobiles et silencieuses pendant de longues minutes. Quand tout fut terminé, la foule se dispersa.

Suivez les Éditions Libre Expression sur le Web :
www.edlibreexpression.com

Cet ouvrage a été composé en ITC New Baskerville 12/14,35
et achevé d'imprimer en novembre 2013
sur les presses de Marquis imprimeur, Québec, Canada.

certifié   procédé   100 % post-   archives   énergie
    sans chlore   consommation   permanentes   biogaz

Imprimé sur du papier 100 % postconsommation,
traité sans chlore, accrédité Éco-Logo et fait à partir de biogaz.